Pescado

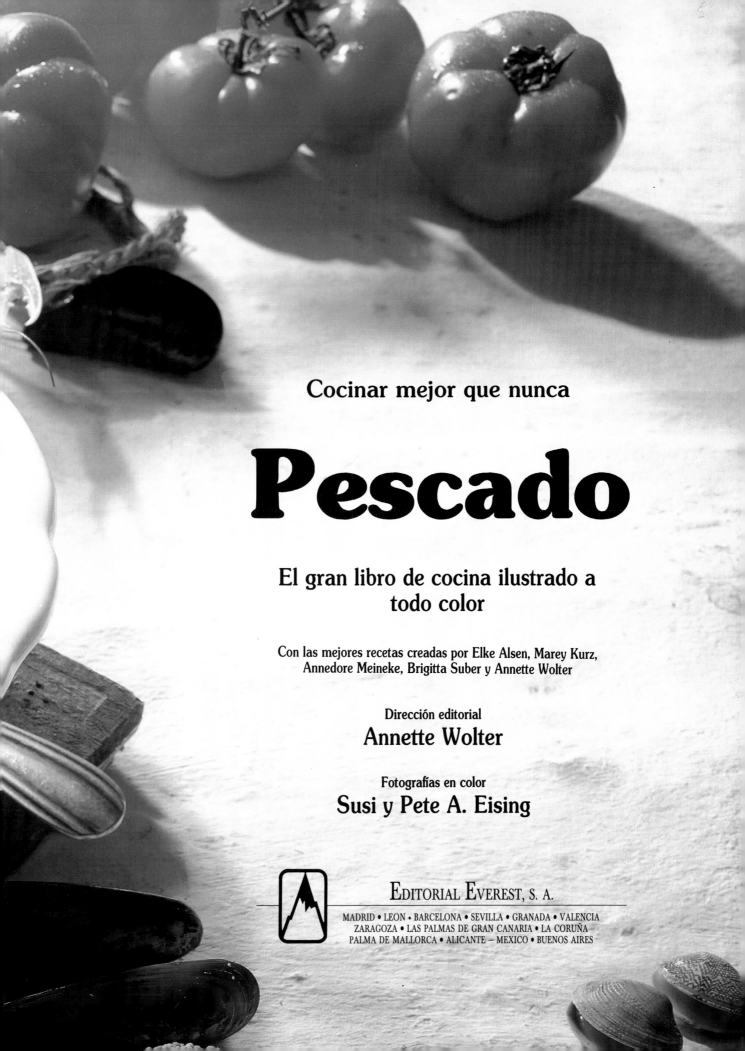

Cocinar mejor que nunca

Pescado

El gran libro de cocina ilustrado a
todo color

Con las mejores recetas creadas por Elke Alsen, Marey Kurz,
Annedore Meineke, Brigitta Suber y Annette Wolter

Dirección editorial
Annette Wolter

Fotografías en color
Susi y Pete A. Eising

EDITORIAL EVEREST, S. A.

MADRID • LEON • BARCELONA • SEVILLA • GRANADA • VALENCIA
ZARAGOZA • LAS PALMAS DE GRAN CANARIA • LA CORUÑA
PALMA DE MALLORCA • ALICANTE – MEXICO • BUENOS AIRES

En este libro encontrará

Platos delicados para menús festivos

Platos de pescado para invitados

Salsas finas para pescado

Guía de pescados, mariscos y moluscos

Índice del libro de la A a la Z

Presentación

Un libro de cocina con ilustraciones a todo color, dedicado exclusivamente a los pescados de agua dulce y marinos, así como a los crustáceos y mariscos; entusiasmará a los entusiastas del pescado y alegrará también a los que gustan de sustituir con cierta frecuencia la carne por el pescado, porque conocen el valor nutritivo que éstos tienen para la salud.

Las recetas de este libro muestran las múltiples posibilidades que existen para la preparación de pescados, su combinación con otros alimentos, así como la forma de servirlos. Las breves especificaciones que figuran bajo los títulos de las recetas, señalan las características de cada una. Además, bajo la lista de ingredientes figuran indicaciones muy interesantes: Rápida • Elaborada • Económica • Coste medio • Fácil • Muy elaborada • Receta famosa • Especialidad • Receta integral. Los datos de los valores nutritivos que figuran a continuación, como kilojuios/kilocalorías, proteínas, grasas, hidratos de carbono, son importantes para aquellos que se preocupan por la alimentación. Cuando se habla de calorías y de julios, el cálculo se refiere siempre a kilojulios y kilocalorías.

La selección de las recetas pudo hacerse especialmente atractiva y variada, gracias a la colaboración de varias autoras experimentadas, ya que todas aportaron sus mejores recetas, producto de una larga experiencia y realización práctica. Todos los platos pueden verse finalizados y fotografiados en color. Las recetas están explicadas con tal sencillez, que incluso personas con poca práctica podrán tener éxito en la preparación de estos sabrosos platos de pescado. Resulta sorprendente comprobar las variadas ocasiones en que puede utilizarse el pescado y cuántos platos de alto valor nutritivo se pueden preparar con pescado.

También encontrará todo lo que precisa saber sobre el valor nutritivo de los pescados, consejos sobre la oferta de pescado fresco y ultracongelado y su adquisición, información práctica sobre las cantidades correctas por porción y un estudio comparativo de las sustancias nutritivas en los pescados grasos y no grasos. Numerosas fotografías con explicaciones paso a paso, facilitan los trabajos de preparación necesarios de los pescados como descamar, destripar, despellejar y filetear, contribuyendo a su comprensión. A continuación se informa sobre los métodos de cocción más usuales en la cocina clásica de pescados. Con objeto de disfrutar correctamente de los pescados y frutos de mar, la parte más voluminosa de este libro, dedicada a las recetas, con fotografías en color, se ve precedida por una serie de consejos sobre la forma correcta de degustar los pescados.

El libro está dividido en cuatro grandes apartados. El primero, «Deliciosas entradas», nos ofrece sopas de pescado conocidas y llenas de ideas, tapas, pequeñas entradas y preparaciones clásicas; junto con los platos de pescado, aparecen platos elaborados con mariscos y crustáceos. El apartado «Platos de pescado exquisitos» empieza con preparaciones ligeras como filetes de platija, trucha «au bleu» y rollitos de pescado, pasando después a los platos fuertes como el Waterzooi, la anguila en sus formas de preparación más conocidas, el «Clam Chowder» y la bullabesa. Sigue el apartado «Platos delicados para menús festivos», con los grandes clásicos de la cocina fría y caliente, como por ejemplo las cigalas flameadas, el lucioperca a la sal, la dorada a la romana, y los pasteles de pescado y mousses. Los «Platos de pescado para invitados», le harán disfrutar comiendo en agradable compañía, bien se trate de una fondue de pescado, broquetas, tartas y empanadas. También con las recetas de pescado a la parrilla puede invitar sin complicaciones, y no digamos con los escabeches y las ensaladas de pescado para muchos comensales. A continuación, unas fotos paso a paso muestran la forma de cocinar salsas finas.

Finalmente, siguen 16 páginas con explicaciones detalladas y fotografías sobre pescados, mariscos y crustáceos de oferta frecuente, solicitados o interesantes. En este apartado titulado «Guía de pescados, mariscos y crustáceos» se describen éstos reunidos en familias biológicas, también figuran sus nombres en alemán, inglés, francés e italiano para que sirvan de ayuda en los viajes de vacaciones. Encontrará explicaciones sobre las zonas de captura más importantes.

El tamaño medio de los pescados, su forma de vida, su pertenencia a los grupos de pescados grasos o no grasos y la forma en que se ofrecen en el mercado. Siempre se menciona si el pescado deberá ser descamado, las formas de preparación más idóneas para cada uno y con qué puede combinarse con éxito y también de forma diferente de lo habitual.

Hasta aquí, lo que teníamos que decir sobre este libro. Deseamos que se sienta inspirado en sus platos de pescado por nuestras fotografías y que conceda, a partir de ahora, un lugar importante en sus menús a los pescados, crustáceos y mariscos.

Le desean mucho éxito y buen provecho:
Annette Wolter y sus colaboradores

**Cuando no se indica otra cosa, las recetas son para 4 personas.
Por cierto: kJ y kcal significan kilojulio y kilocaloría.
Para preparar la crema de leche, mezcle ésta con unas gotas de zumo de limón o vinagre.**

El valor nutritivo de los pescados

Todo el mundo sabe que los pescados de agua dulce y marina son alimentos muy digestivos y proporcionan valiosas proteínas, vitaminas y oligoelementos que muy pocos alimentos más poseen en igual cantidad y calidad. Las proteínas de los pescados tienen en la fisiología alimentaria casi el mismo valor que un huevo de gallina, pero contienen mucha menos colesterina. La grasa de los pescados proporciona una parte importante de ácidos grasos, con frecuencia no saturados, que el organismo necesita, ya que no es capaz de producirlos por sí mismo. El gusto típico propio de los pescados de agua dulce y marina es natural y sin modificar, ya que no pueden recibir influencias de piensos. Para conservar el valor de los pescados, crustáceos y mariscos debe tener en cuenta lo siguiente.

La oferta de pescado fresco

Es mucho más amplia que los nombres que encontrará en la guía de los pescados, crustáceos y mariscos al final de este libro. Lo más importante en la compra del pescado es que sea fresco. El pescado fresco sufre si está mal almacenado. Por eso, examine primero la pescadería en que vaya a adquirirlo con la vista y el olfato. De ningún modo deberá oler a pescado de forma penetrante, en todo caso a mar y a algas. Los pescados deberán estar colocados sobre hielo o en mostradores refrigerados. Reconocerá el pescado fresco en los ojos claros, brillantes y de forma semiesférica, en las agallas firmemente adheridas de color rojo claro, en la piel lisa y brillante —no estriada— y en la carne dura.

Consejos para la compra

• Pida siempre que se lo vendan listo para cocinar, es decir destripado y, en caso necesario, descamado, despellejado y, si lo desea, sin cabeza.
• Para un buen fondo de cocción y para sopas de pescado necesitará recortes como cabezas, aletas y colas. Pida al vendedor que se las dé.

• Las valvas o conchas de los moluscos deberán estar cerradas. Las conchas abiertas son signo de animales muertos o a punto de morir y, por tanto, incomestibles.
• Cuando compre crustáceos vivos fíjese en que naden libremente en el tanque de agua o que muevan las patas al mantenerlos en alto.

El tamaño de las porciones de pescado

En el caso de filetes, se calculan 200 g por persona. En los pescados enteros habrá que calcular hasta un 50 % de desperdicio; cuando se trate de pescados pequeños, se necesitan por lo menos 300 g, si son grandes se cocinan enteros y después se distribuyen en porciones, se precisan de 350 a 400 g por persona. Si va a servir mejillones con concha calcule 500 g por persona, y si son ostras, de 6 a 12 unidades. Para un plato principal, calcule una langosta o bogavante de unos 700 g por persona. Para entrada la mitad. Si va a servir mariscos pequeños, calcule de 250 a 300 g con cáscara y 150 a 200 g pelados.

La preparación del pescado fresco

Lo más aconsejable es comprar el pescado fresco el mismo día en que piense prepararlo. Tras la compra, saque los pescados del envoltorio y colóquelos en el frigorífico en una fuente de porcelana, tapada, hasta su preparación; sólo excepcionalmente deberá conservar el pescado 24 horas en estas condiciones.

El pescado congelado

Los pescados o frutos de mar congelados están generalmente preparados para cocinar, de forma que no tienen desperdicios. Los pescados marinos se congelan ya en el lugar de la captura en barcos factoría, listos para consumir; los pescados grandes se sierran en bloques, los pequeños se filetean o congelan enteros y empaquetados. En la envoltura figurará la indicación de que están «congelados en alta mar». Los mariscos y crustáceos se cuecen y a continuación se congelan con caparazón o cáscara o ya listos para consumir. La calidad de los pescados, crustáceos y mariscos congelados es extraordinariamente buena, siempre que se consuman de acuerdo con las instrucciones de su envoltura. Es conveniente dejar que los pescados, crustáceos y mariscos congelados se descongelen lentamente, sin envoltura, dentro del frigorífico. Los filetes de pescado deberán estar a medio descongelar antes de prepararlos, en cambio, las rodajas grandes o los pescados enteros deberán descongelarse totalmente dentro del frigorífico (de 8 a 12 horas).

Productos congelados sin marca

Evite comprar pescado congelado sin empaquetar o en envolturas sin marca. En la pescadería podrá adquirir también pescado congelado ya descongelado. Deberá ser consumido el mismo día.

Los valores nutritivos de los pescados

La tradicional división entre pescados grasos y magros, es bastante indefinida, pues muchos pescados no son ni muy magros ni muy grasos. Sin embargo, el pequeño índice informa sobre valores aproximados de kilojulios (kJ)/kilocalorías (kcal), así como sobre el contenido en proteínas, grasas e hidratos de carbono. Los pescados grasos como la anguila, el arenque, el salmón y la caballa, proporcionan por cada 100 g de parte comestible: 525 a 1 170 kJ, 25 a 280 kcal, de 15 a 20 g de proteínas, de 6 a 25 g de grasas y 0 g de hidratos de carbono.

Los pescados magros como la trucha, la merluza, el lenguado, el lucio, proporcionan por cada 100 g de parte comestible, 295 a 500 kJ, 70 a 120 kcal de 17 a 20 g de proteínas, 0,1 a 5 g de grasas y 0 g de hidratos.

La preparación correcta de los pescados

Descamar

Hay que descamar la mayoría de pescados antes de freírlos. Normalmente se acostumbra a escalfar, cocer al vapor, rehogar y asar a la parrilla los pescados, conservando las escamas para preservar su aroma. En los platos que llevan salsa, conviene pasar ésta por un tamiz o chino, ya que podrían haber quedado algunas escamas en la salsa.

Cuando haya descamado el pescado, corte primero con la tijera las aletas dorsales, pelvianas y anales. Según la receta o el tipo de pescado, corte seguidamente la cabeza con un cuchillo afilado.

Destripar

Generalmente no será necesario hacer esta operación, ya que el pescadero los limpia, si se lo pide, al hacer la compra. Pero si alguna vez consigue una pieza recién pescada, directamente del pescador, debe saber cómo se prepara correctamente.

Si desea descamar el pescado, hágalo antes de eliminar las tripas. Después deberá cortar con un cuchillo afilado la parte de las tripas, desde la cola hacia la cabeza, y extraer cuidadosamente éstas, sin romper la vesícula biliar.

Despellejar

Hay que quitar la piel a los pescados planos antes de filetearlos o cocinarlos de forma especial, pues si corta en rodajas los pescados planos antes de escalfarlos, la piel quedaría adherida a ellos. A la platija, gallo y halibuto hipogloso, rara vez se les quita la piel. Si prepara un pescado plano entero como el rodaballo, deberá quitarle la piel superior, y si es la platija, la piel oscura.

En todos los pescados planos —excepto el mendo limón— deberá dar un corte inclinado a la piel por el lado de la cola y desprenderla hasta que pueda cogerla. Después sujete con unos lienzos la cola y la piel y desprenda ésta con un tirón fuerte hacia la cabeza.

Filetear pescados redondos

El fileteado de pescados redondos le resultará algo más difícil que el de los planos. De los pescados planos obtendrá cuatro filetes, en cambio, de los redondos sólo dos. Estos serán más gruesos y largos y no le resultarán tan fáciles de desprender.

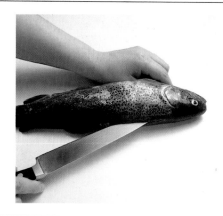

Corte primero el lomo del pescado con un cuchillo afilado, de la cabeza hacia la cola, hasta llegar a la espina central. Después corte el filete por debajo de las agallas desde el lomo hasta las tripas y levántelo un poco hacia arriba.

Sujete el pescado por la cola con un lienzo. Con el lado romo de la hoja del cuchillo, raspe las escamas «a contrapelo», desde la cola hacia la cabeza, bajo un ligero chorro de agua fría para evitar que salten las escamas.

Los pescados que se preparan «au bleu» no deben descamarse, ya que al hacerlo se destruiría la mucosa de la piel, la cual proporciona su color azul. Lave los pescados cuidadosamente por fuera y por dentro con un chorro de agua, sin frotar ni secar.

Separe el hígado de las tripas, lávelo y utilícelo para una salsa o relleno, o fríalo. Limpie con un poco de sal los restos de tripas y de sangre que hayan quedado adheridos y lave otra vez el pescado con agua fría.

Pase el pescado limpio por el chorro del agua fría, lavando también la cabeza. Si desea asar un pescado grande entero, deberá hacer cuatro cortes al bies, desde la tripa hasta la espina central, con objeto de que cuezan homogéneamente las partes más gruesas y finas y se acorte el tiempo de cocción.

Cuando quite la piel a la limanda, haga unos cortes en la piel por debajo de las agallas hasta que pueda tirar de ella. Sujete con unos lienzos la cabeza y la piel y tire ésta de la cabeza hacia la cola.

Si desea filetear un pescado plano, entalle los dos filetes por medio de un corte a lo largo de la espina central. Separe cada filete con un cuchillo afilado desde la espina central hacia afuera, por medio de pequeños cortes y tire hacia afuera con la mano libre.

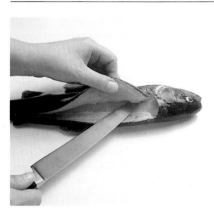

Separe el filete con pequeños cortes de arriba hacia abajo, siempre desde el lomo hacia la tripa y separándolo de la espina. Haga lo mismo con el otro lado.

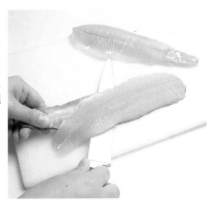

Coloque los filetes desprendidos, con la piel hacia abajo, sobre una tabla. Pase el cuchillo cuidadosamente entre la piel y el filete siempre desde el extremo de la cola, liberando de este modo la piel. Al hacerlo deberá sujetar bien la piel con la mano libre.

Métodos de cocción

Cocinar «au bleu»

Los pescados de agua dulce como la anguila, la trucha, la carpa, el lucio, el esturión y la tenca, que tienen la piel cubierta de mucosa, pueden prepararse «au bleu». Para ello no los descame; lávelos ligeramente, con cuidado de no frotar la mucosa, la cual proporciona su color azul.

Para el fondo de cocción, corte 1 cebolla grande y 1 zanahoria y deje cocer 20 minutos en unos 2 l. de agua con tres ramitas de perejil y 1 cucharada de sal. Añada después 1 hoja de laurel, 2 clavos, 6 granos de pimienta negra y 6 granos de pimienta blanca; prosiga la cocción otros 10 minutos.

Escalfar

Escalfar significa cocer en un líquido caliente por debajo del punto de ebullición. Según los resultados que desee obtener, podrá preparar el mismo fondo que para la cocción «au bleu», pero en lugar de vinagre utilice sólo un poco de zumo de limón. Con el fondo mezclado con vino blanco, puede preparar después una salsa ligándola con crema de leche o una mezcla de ésta y petit suisse natural.

Limpie 600 g de recortes de pescado como cabezas, agallas y colas, y déjelos hervir durante 30 minutos cubiertos de agua, con 1 cebolla troceada, 2 ramitas de perejil, 50 g de champiñones en rodajas, 1/2 hoja de laurel, 6 g de pimienta blanca y 1 ramita de tomillo. Elimine la espuma que se forme.

Rehogar

Una forma especialmente delicada de preparar filetes o rodajas de pescado, ya que los jugos de cocción del pescado se mezclan con los restantes ingredientes, sirviendo de base para una salsa fina y aromática.

Trocee 1 ó 2 escalonias, 1 zanahoria pequeña cortada en juliana y 1 tallo de apio cortado en rodajitas. Rehogue la verdura en 1 a 2 cucharadas de mantequilla, añada 1/8 l de vino blanco seco, caldo de pescado o caldo de ave ligero y deje hervir.

Cocer al vapor

Para cocer al vapor pescados grandes, necesitará una cazuela con rejilla. Para pescados pequeños o rodajas de pescado un cazo, olla o cazuela en el que se pueda disponer sobre dos moldecitos o llaneros resistentes al calor, una fuente refractaria. Los entendidos consideran éste el mejor tipo de cocción.

Coloque el pescado, ya preparado para cocinar, sobre la rejilla, untada con mantequilla. lleve a ebullición en el recipiente una mezcla mitad fondo de pescado, mitad vino blanco con una altura de 2 cm. Coloque el pescado sobre el fondo y cueza al vapor, con el recipiente tapado de 10 a 15 minutos.

Vierta el fondo en una besuguera o cazuela adecuada, añada 1/4 l. de vino blanco o vinagre de Jerez y déjelo enfriar. Coloque los pescados grandes sobre la rejilla de la besuguera dispuesta sobre el fondo frío, lleve a ebullición y deje cocer el pescado de 15 a 20 minutos.

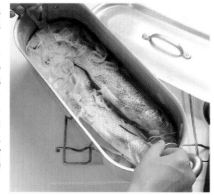

En el caso de pescados pequeños, sumérjalos en el caldo, agítelo suavemente y regule el calor cuidadosamente. Tenga a mano agua fría para poder regular la temperatura. Los pescados deberán estar siempre cubiertos por el caldo y cocinarse de acuerdo con su peso, 7 a 10 min.

Cuele el fondo y póngalo en una besuguera añadiéndole 1/2 de vino blanco seco. Si el pescado es grande, póngalo en la rejilla sobre el fondo frío. Caliente éste hasta poco antes de su ebullición y deje que el pescado se escalfe durante 5 min. a fuego suave. Retírelo del fuego y déjelo reposar 10 min.

Si son pescados pequeños, póngalos en el caldo por debajo de 100 °C. Déjelos escalfar 5 min. a fuego lento y después 3-5 min. apartados del fuego. Los pescados estarán cocidos cuando los ojos tengan un color blanquecino, cuando se desprendan las agallas del lomo y cuando la carne esté blanca.

Coloque el pescado sobre las hortalizas, sazónelo ligeramente y déjelo cocer, tapado y a fuego lento, según peso y tamaño, de 10 a 15 minutos. Si fuese necesario, añada un poco más de líquido (caldo o agua).

Coloque el pescado en una fuente precalentada tapizada con las hortalizas. Añada, a su gusto, al líquido de cocción: agua, vino o caldo. Mezclados con crema de leche o una mezcla de ésta y petit suisse natural, pruebe la salsa y viértala sobre el pescado.

Coloque los pescados pequeños, filetes y rodajas en una fuente refractaria. Lleve a ebullición en un recipiente, mitad fondo de pescado, mitad vino blanco; coloque dos moldes refractarios en el caldo. Ponga encima el pescado dispuesto sobre una fuente y déjelo cocer al vapor, con el recipiente tapado 7 a 10 min.

Durante la cocción al vapor, se deposita en la fuente jugo de pescado puro, que debe degustarse con el pescado en lugar de salsa. El fondo puede utilizarse para una salsa.

Consejos para la cocción

Asar al horno

Puede cocinar los pescados grandes o medianos al horno. Como mejor le quedarán es utilizando una bolsa de asar, ya que con su envoltura protectora el pescado no se seca, ni se evaporan sus jugos. Asimismo, y gracias a las características especiales de la bolsa, las piezas llegan a dorarse.

Introduzca el pescado en la bolsa añadiéndole hortalizas troceadas menudas, sal y pimienta, especias y algo de líquido como caldo de pescado, vino, leche o caldo de ave, al gusto, también puede agregar crema de leche, o una mezcla de ésta y petit suisse natural.

Freír

Los pescados pequeños de hasta 250 g aproximadamente, así como las rodajas o filetes pueden freírse en sartén. El breve tiempo de cocción en la grasa caliente impide que el pescado se seque, a la vez que la costra que se forma, proporciona un gusto agradable.

Seque bien los pescados listos para freír. Salpimente los pescados enteros por dentro y las rodajas y los filetes por ambos lados. Por cada pescado mezcle aproximadamente 1 cucharada de harina con un poco de sal y pimienta blanca recién molida.

Asar a la parrilla

Asar el pescado sobre la parrilla eléctrica resulta más fácil que sobre carbón vegetal. El calor excesivo reseca fácilmente el pescado. Por eso no debe asar el pescado sobre carbón vegetal sólo si puede regular la distancia de la parrilla y colocar éste a la distancia adecuada del fuego.

Los pescados grasos son apropiados para asar. Los pescados magros deben rociarse repetidamente con aceite especiado o un adobo durante el asado en la parrilla eléctrica. Dé la vuelta varias veces a los pescados. Si se doran con excesiva rapidez recúbralos con papel sulfurizado.

Fritura

Los pescaditos pequeños, los filetes y tiras de pescado, las gambas y los moluscos, pueden freírse nadando en aceite muy caliente. Puede freírlos al natural, es decir pasándolos ligeramente por harina, o rebozarlos y envolverlos en gabardina. La mejor protección para estas delicadas piezas contra la alta temperatura de la grasa de fritura es una pasta para freír fina.

Mezcle 2 cucharaditas de zumo de limón con 2 cucharadas de aceite de oliva y 1 pizca de pimienta blanca recién molida. Pase los pescados preparados, los mejillones, almejas o gambas por esta mezcla y déjelos marinar de 1 a 2 horas tapados en el frigorífico.

 Cierre bien la bolsa. Haga con una aguja unos diez agujeros en la parte superior de la misma. Coloque el pescado sobre la placa del horno e introduzca ésta en el segundo piso del horno precalentado a 200°. Según su tamaño, hornee de 10 a 20 minutos.

 Corte la parte superior de la bolsa a lo largo con unas tijeras. Coloque el pescado con ayuda de una pala o espumadera en una fuente precalentada y vierta los fondos de la bolsa junto con las hortalizas sobre éste. Si lo prefiere, puede pasar las hortalizas por el chino.

 Pase cuidadosamente los pescados o las piezas de pescado por la harina salpimentada. No deberán estar recubiertos de harina. Elimine el exceso sacudiendo el pescado. Si lo desea, puede pasar los filetes enharinados por huevo ligeramente batido y empanarlos.

 Caliente aceite, mantequilla u otra grasa y fría los pescados a fuego moderado por ambos lados durante casi 1 minuto. Después, baje la temperatura y fríalos de 3 a 7 minutos, según tamaño, dándoles la vuelta.

 Si emplea una parrilla de carbón vegetal, debe asar los pescados envueltos en papel de aluminio aceitado. Si desea que el pescado tenga el dibujo del rayado de la parrilla, puede quitarle el papel de aluminio poco antes de terminar el asado y colocarlo directamente sobre la parrilla un momento por cada lado.

 Los pescados grasos pueden asarse sin problemas en la sartén-parrilla. Úntela ligeramente con aceite, caliéntela bien, ponga los pescados y áselos por cada lado de 4 a 10 minutos, según tamaño y peso. Baje la intensidad del calor transcurridos los primeros minutos.

 Para preparar la pasta para freír bata 150 g de harina con 2 yemas de huevo y la cantidad de vino blanco seco necesaria para obtener una pasta densa. Déjela reposar 30 min. Caliente el aceite en la freidora a 180°. Bata 2 ó 3 claras a punto de nieve con 1 pizca de sal y añádalas a la masa.

 Pase los pescados gambas o moluscos uno por uno por la pasta, déjelos escurrir un poco y fríalos de 1 a 5 minutos, según tamaño. Dé la vuelta a las piezas grandes una vez. Colóquelas una vez fritas sobre papel absorbente. Le aconsejamos acompañe el pescado frito con salsa mayonesa.

Degustar correctamente pescados y mariscos cocinados

Pescados «au bleu»

Los pescados que se sirven «au bleu», tanto si son truchas, carpas, lavaretos o anguilas, no se descaman antes de cocinarlos. Es bien distinto cuando están cocinados «a la molinera», pues la piel empanada proporciona parte del buen gusto.

1 Separe los filetes superiores por la mitad a lo largo desprendiéndolos de la espina central y separando poco a poco la piel.

2 Una vez degustada la parte superior, retire la espina central, partiendo desde la cola; deje sólo los filetes inferiores.

3 Antes de que se enfríen, le aconsejamos extraiga las dos quijadas que están situadas debajo de los ojos, ya que se trata de un manjar exquisito, a juicio de los entendidos.

4 Al final separe los dos filetes inferiores de la piel y cómalos.

Mejillones

Deliciosos y disponibles a lo largo de todo el año, se degustan de la misma forma que otros moluscos, como almejas, chirlas y escupiñas.

1 Ábralos al vapor con un poco de vino condimentado y aromatizado con verduras picadas en trozos menudos y los convertirá en una de las entradas más deliciosas.

2 Sírvalos con parte de su fondo de cocción en platos soperos. Utilice una valva vacía entera como tenaza.

3 Con estas tenazas naturales podrá desprender a mano, sin remilgos, los mejillones de las valvas bien abiertas.

4 Deguste los mejillones que se hayan desprendido por sí mismos de la concha y su fondo de cocción a cucharadas.

Hace ya mucho tiempo que no existen reglas estrictas para comer el pescado, «sorber» las ostras y separar las gambas de la cáscara. Sin embargo, si desea sentirse a gusto en la mesa, disfrutando de las delicias de mares y ríos, y si no está completamente seguro de cómo debe proceder, encontrará en estas fotos paso a paso sugerencias muy útiles.

Crustáceos a la parrilla

No corte por la mitad gambas, cigalas o langostinos pequeños para cocerlos a la parrilla, pues se secaría su delicada carne.

1 Le aconsejamos que los cueza a la parrilla con abundante aceite o mantequilla de ajo, que les proporcionan un gusto muy delicado. Sírvalos.

2 En el lomo podrá superar el cordón intestinal, muy fácil de eliminar con el cuchillo.

3 Separe con tenedor y cuchillo los crustáceos de la cáscara, para ello necesitará, a veces, bastante destreza.

4 Una vez separado medio crustáceo de su cáscara, páselo por la grasa de cocción utilizada.

Pescados planos

Entre éstos, el lenguado es uno de los pescados planos más apreciados, pero también uno de los más caros. Los rollitos de lenguado están considerados como la máxima exquisitez, pero también un pescado entero es un banquete.

1 Un lenguado frito al natural, aderezado con un poco de verdura picada, es uno de los máximos placeres para los entendidos.

2 Para degustar un pescado plano separe los dos filetes superiores por medio de un corte a lo largo de la línea de separación visible y desprenda el filete de las espinas.

3 Después de haber procedido del mismo modo con el segundo filete, separe la espina central, con la cola y la cabeza, de los dos filetes inferiores, y colóquela en un plato aparte.

4 Ahora podrá desprender de la piel los dos filetes inferiores y degustarlos con la salsa u otras guarniciones.

Deliciosas entradas

Sopas exquisitas,
entradas especiales, cócteles
y clásicos de la tentadora
cocina del pescado

Exquisitas sopas de cangrejos

Lo más apropiado para las grandes ocasiones y las máximas exigencias

Crema fría de cangrejos

A la izquierda de la foto

40 g de mantequilla
2 cucharadas de harina
¾ l de caldo de ave caliente
4 cucharadas de pasta de cangrejo
2 cucharadas de aguardiente
1 pizca de pimienta de Cayena
2 dl de crema de leche
50 g de arroz de grano largo
½ l de agua
1 pizca de sal
120 g de carne de cangrejo enlatada
1 ramita de eneldo o perejil

Fácil

Por persona aproximadamente
1 465 kJ/350 kcal · 15 g de
proteínas · 72 g de grasas · 20 g
de hidratos de carbono

Tiempo de preparación:
1½ horas

Derrita la mantequilla en una cacerola. Dore en ella la harina, removiendo a fuego lento. Añada poco a poco el caldo de ave. Déjelo hervir. Retire el recipiente del fuego y bata la pasta de cangrejos con la crema. • Déle un ligero hervor y añada el aguardiente y la pimienta de Cayena. Viértala en una sopera y añada 4 cucharadas de crema de leche. Deje enfriar la crema y bátala de vez en cuando con la batidora de varillas. • Lave bien el arroz. Ponga a hervir el agua con la sal y añada el arroz dejándolo cocer a fuego lento durante 20 minutos. A continuación escúrralo en un colador y déjelo enfriar. • Bata a punto de nieve la crema restante. Si fuese necesario, trocee la carne de cangrejo y repártala con el arroz en cuatro platos soperos. Vierta por encima la crema fría y adorne cada plato con 1 copete de nata batida. Adorne éstos con el eneldo o perejil lavados.

Sopa de cangrejo clásica

A la derecha de la foto

40 g de arroz
½ l de caldo de carne
16 cangrejos vivos de 80 g cada uno
1 zanahoria pequeña
1 apio nabo
2 escalonias
80 g de mantequilla
½ hoja de laurel
1 pizca de sal y de pimienta blanca
2 copas de coñac (4 cl)
3,5 dl de vino blanco seco
4 cucharadas de crema de leche
1 pizca de pimienta de Cayena

Receta famosa • Coste medio

Por persona aproximadamente
1 860 kJ/445 kcal · 27 g de
proteínas · 22 g de grasas · 16 g
de hidratos de carbono

Tiempo de preparación: 1½
horas

Cueza el arroz en el caldo durante 20 minutos. • Sumerja los cangrejos uno tras otro en abundante agua salada hirviendo a borbotones y déjelos hervir 5 minutos cada uno. Sáquelos con una espumadera. • Pique finamente la verdura y sofríala en 20 g de mantequilla. Añada otros 20 g de mantequilla, la hoja de laurel y los cangrejos; salpimente. Rehogue los cangrejos a fuego vivo, rocíelos con el coñac y flamee un instante. Añada el vino. Deje rehogar los cangrejos tapados durante 10 minutos. • Quite las cáscaras a los cangrejos y triture las patas y pinzas en la batidora, deje hervir éstas en el caldo de vino y verduras y páselo todo por el chino, junto con el arroz. Cueza la sopa muy lentamente durante 15 minutos. • Añádale la crema de leche. Condimente con la pimienta de Cayena. Bata la mantequilla restante con la batidora de varillas. Corte las colas de cangrejo en rodajas, y añádalas a la sopa.

Sopas para sibaritas con cigalas y quisquillas

Saben a verano y a vacaciones

Sopa de pepino con quisquillas

A la izquierda de la foto

1 cebolla
1 diente de ajo
30 g de mantequilla
1 cucharadita de harina
3,5 dl de caldo de carne caliente
1 pepino
crema de leche
1 pizca de sal y azúcar
1 pizca de pimienta blanca molida
1 pizca de mostaza en polvo
200 g de quisquillas o gambas
2 manojos de eneldo o perejil

Fácil • Coste medio

Por persona aproximadamente 960 kJ/230 kcal · 11 g de proteínas · 17 g de grasas · 7 g de hidratos de carbono

Tiempo de preparación: 30 minutos

Pele la cebolla y el diente de ajo, píquelos y fríalos en 10 g de mantequilla hasta que adquieran un ligero color dorado. Añada la harina y deje que se dore; luego vierta el caldo de carne. Lave el pepino, córtele 4 rodajas finas y resérvelas. Pele el resto del pepino, córtelo por la mitad a lo largo, y corte la carne en dados de 2 cm. Deje cocer los dados de pepino en la sopa durante 15 min. • Pase la sopa por la batidora para reducirla a puré. Añada la crema de leche. Condimente el puré de pepino con sal, azúcar, pimienta y mostaza en polvo y déjela cocer otros 5 min. a fuego lento. • Pele las quisquillas o gambas y quíteles el cordón intestinal. • Caliente en una sartén la mantequilla restante y sofría unn momento las quisquillas. Lave el eneldo o perejil, píquelo y añádalo a la sopa. • Vierta ésta en platos soperos precalentados. Añada finalmente las quisquillas de pepino a la sopa.

Crema de cigalas con cebollinos

A la derecha de la foto

4 tomates pequeños
4 escalonias
2 cucharadas de mantequilla
1 cucharada de harina
6 cucharadas de vino blanco seco
¼ l de caldo caliente de ave
4 dl de crema de leche
1 pizca de sal y azúcar
1 pizca de pimienta blanca recién molida
unas gotas de tabasco
250 g de cigalas frescas peladas
2 manojos de cebollinos

Rápida • Coste medio

Por persona aproximadamente 2 130 kJ/510 kcal · 15 g de proteínas · 42 g de grasas · 15 g de hidratos de carbono

Tiempo de preparación: 40 minutos

Lave los tomates y practíqueles después un corte en forma de cruz, escálfelos en agua hirviendo, pélelos, córtelos por la mitad, retire las semillas y corte la carne en dados pequeños. Pique las escalonias muy finamente y póngalas a dorar en la mantequilla. Añada la harina y deje que se dore, removiendo sin cesar; vierta luego el vino blanco, el caldo de ave y la crema de leche. Deje dar un hervor, condimente con la sal, el azúcar, la pimienta y el tabasco para dar un sabor picante y prosiga la cocción 5 minutos a fuego lento. • Caliente en la crema las cigalas lavadas y los dados de tomate. Lave los cebollinos, séquelos, píquelos finamente y añádalos a la crema, reservando 2 cucharadas. • Sirva la crema en platos soperos precalentados y adórnela con el resto de los cebollinos picados.

Sopa de pescado china

El pescado tiene un papel importante en la cocina china

100 g de zanahorias
500 g de col china
2 cucharadas de aceite de semillas
200 g de arroz integral
4 cucharadas de salsa de soja
100 g de guisantes desgranados
200 g de brotes de soja
500 g de filetes de bacalao
2 cucharadas de zumo de limón
1 pizca de 5 especias
2 cucharadas de perejil o eneldo recién picado

Receta integral • Fácil

Por persona aproximadamente 1 190 kJ/285 kcal · 28 g de proteínas · 6 g de grasas · 27 g de hidratos de carbono

Tiempo de preparación: 1 hora

Prepare las zanahorias y la col china, lávelas y córtelas en tiras entrefinas. • Caliente el aceite en una cacerola ancha. Sofría el arroz durante 5 min. Añada la verdura preparada y sofríala también otros 5 min. Vierta 1 l de agua caliente, 2 cucharadas de salsa de soja y deje cocer a fuego lento durante 20 min. • Añada los guisantes y los brotes de soja escurridos. • Lave el pescado, rocíelo con el limón y déjelo cocer sobre la verdura durante 10 min. • Saque el pescado y córtelo en trozos grandes. Retire el recipiente del fuego. Condimente la sopa con la salsa de soja restante y las 5 especias. Agregue el eneldo o perejil y los otros trozos de pescado.

Nuestra sugerencia: Para la cocina asiática la salsa de soja es un ingrediente imprescindible. En los comercios de alimentos dietéticos y naturales puede adquirir las salsas de soja «Shoyo» y «Tamari», ambas elaboradas al natural y, por ello, especialmente aromáticas.

Soljanka

Esta sopa sustanciosa puede constituir un plato único

375 g de patatas harinosas
1 manojo de hortalizas para el caldo · 1 cebolla
2 cucharadas de aceite de oliva
4 cucharadas de harina de trigo integral · 1 hoja de laurel
1 cucharadita de setas en polvo
2 cucharadas de tomate concentrado
1 l de agua caliente o caldo de carne caliente
500 g de filetes de gallineta o rascasa
250 g de pepinillos en vinagre
4 cucharaditas de alcaparras
2 dl de crema de leche agria
1-2 cucharadas de soja
1 cucharada de zumo de limón
2 cucharadas de eneldo o perejil recién picado

Especialidad rusa • Receta integral

Por persona 1 525 kJ/365 kcal · 29 g de proteínas · 14 g de grasas · 29 g de hidratos de C.

Tiempo de preparación: 20 min.

Pele y corte en dados la cebolla y las pastas. Lave las hortalizas y píquelas. Caliente el aceite en una cacerola grande. Sofría las hortalizas preparadas. Añádale harina y las setas en polvo, tomate triturado, hoja de laurel y remueva bien. Vierta el agua o el caldo de carne, lleve a ebullición y remueva para que no se hagan grumos. • Lave el pescado y échelo a la sopa. Prosiga la cocción durante 10 min. a fuego lento y con el recipiente tapado. • Corte los pepinillos en dados y los tomates, lavados, en ocho trozos cada uno. • Corte el pescado en trozos grandes y distribúyalo en tazones precalentados. Añada a la sopa las alcaparras, los pepinos y los tomates y deje cocer 1 min. Retire la cacerola del fuego. Bata la crema de leche agria con la salsa de soja y el zumo de limón y agregue la mezcla a la sopa. • Sirva la Soljanka espolvoreada con el eneldo o perejil picado.

Sopas de exótico refinamiento

Hay que probarlas para darse cuenta lo bien que saben

Sopa de pescado al curry (Arriba de la foto)

500 g de filetes de abadejo
1 cucharada de zumo de limón
1 cebolla · 1 plátano
2 cucharadas de mantequilla
1 cucharada de harina
2 cucharaditas de curry en polvo
¾ l de caldo de ave caliente
1 pizca de sal · 1 manzana
1 cucharada de cebollino picado

Económica • Fácil

Por persona 960 kJ/230 kcal ·
22 g de proteínas · 7 g de grasas
· 19 g de hidratos de carbono

Tiempo de preparación: 45 min.

Corte el pescado en dados y
rocíelo con el zumo de limón. Pique la cebolla y dórela en
la mantequilla. Añádale la harina
y el curry, remueva y vierta el caldo; deje cocer durante 10 min. •
Sazone el pescado y cuézalo en la
sopa durante 10 min. Caliente la
manzana rallada y las rodajas de
plátano en la sopa. Espolvoree
luego con el cebollino picado.

Sopa de quisquillas con aguacates

Abajo de la foto

200 g de quisquillas · 1 cebolla
2 cucharadas de mantequilla
1 cucharada de harina · Eneldo
¾ l de caldo de ave caliente
1,2 dl de crema de leche
½ limón en zumo · 4 aguacates
sal, pimienta blanca y azúcar

Rápida • Fácil

Por persona 2 865 kJ/685 kcal ·
14 g de proteínas · 64 g de
grasas · 12 g de hidratos de C.

Tiempo de preparación: 30 min.

Aparte 12 quisquillas y pique el
resto en trozos. Pique la cebolla y dórela en la mantequilla.
Añada las quisquillas picadas y la
harina. Cubra con el caldo y déjelo hervir 10 min. • Reduzca a puré los aguacates y añádalos a la
sopa con la crema de leche y el
eneldo picado. • Salpimente la sopa y añada las quisquillas.

Caldos con albóndigas de pescado

Abren el apetito y son ligeros y digestivos

Caldo de verduras con albóndigas de salmón

A la izquierda de la foto

---

50 g de mijo · 1 huevo

½ taza de leche · 1 l de agua

100 g de salmón ahumado

½ cebolla pequeña

1 manojo de perejil

3 cucharadas de pan de centeno rallado

1 pizca de curcuma en polvo

1 manojo de hortalizas para el caldo

3 cucharaditas de cubito de caldo de verduras

250 g de ramitos de coliflor

150 g de guisantes desgranados

Receta integral • Coste medio

Por persona 670 kJ/160 kcal ·
10 g de proteínas · 3 g de grasas
22 g de hidratos de carbono

Tiempo de preparación: 1 hora

Escalde el mijo dispuesto en un tamiz, en agua hirviendo y seguidamente déjelo cocer a fuego lento durante 15 minutos en 1,2 dl. de agua nueva. • Añada la leche y prosiga la cocción 5 minutos. Retire la cacerola del fuego. Deje reposar el mijo tapado durante 5 minutos; escúrralo en un tamiz. • Pique finamente el salmón y la cebolla, y luego tritúrelos con la ayuda de la batidora junto con unas hojas de perejil y el mijo; mezcle luego con el huevo, el pan rallado y la curcuma. • Lave las hortalizas para el caldo, píquelas y hiérvalas con el agua y el cubito. Lave la coliflor y los guisantes. Viértalos en la cacerola. Con ayuda de dos cucharas, haga albóndigas de la masa y vaya echándolas en el caldo, dejándolas cocer a fuego lento durante 15 minutos. • Pique finamente el perejil restante y añádalo al caldo.

Caldo con albóndigas de pescado

A la derecha de la foto

---

200 g de filetes de abadejo o bacalao

1 cebolla · 3 huevos

100 g de harina de trigo integral

1 cucharadita de sal marina

2 cucharadas de zumo de limón

2 cucharadas de eneldo o perejil finamente picado menudo

1 pizca de pimienta blanca molida

1 cucharada de eneldo en grano

1 manojo de hortalizas para el caldo

1½ l de agua

1 cucharada de perejil picado

2 cucharaditas de sal de hierbas

Receta integral • Económica

Por persona 1 650 kJ/395 kcal ·
20 g de proteínas · 2 g de grasas
· 70 g de hidratos de carbono

Tiempo de preparación: 40 min.

Lave el pescado y píquelo. Pele la cebolla y cuartéela. Triture en la batidora los trozos de pescado y cebolla y mézclelos después con la harina, la sal, los huevos, 1 cucharada de zumo de limón, 1 cucharada de eneldo y la pimienta. • Tueste los granos de eneldo durante 2 ó 3 minutos en una sartén seca a fuego lento. Lave las hortalizas para el caldo y córtelas en juliana. Déjelas cocer con los granos de eneldo y el agua. Con las manos mojadas, forme albóndigas pequeñas de la masa y échelas en el caldo hirviendo. Déjelas cocer a fuego lento 10 min tapadas. • Retire el recipiente del fuego. Esparza el eneldo y el perejil restantes sobre el caldo y sazónelo con la sal de hierbas, el zumo de limón restante y un poco de pimienta.

Crema de salmón

Una crema extraordinariamente exquisita

375 g de recortes de salmón
1 cebolla · 1 hoja de laurel
1 pizca de sal · ½ l de agua
unos granos de pimienta blanca
500 g de salmón fresco
2 cucharadas de mantequilla
1 cucharada de harina
1,5 dl de crema de leche
1 petit suisse natural
1 pizca de pimienta blanca recién molida
hebras de azafrán
un chorrito de zumo de limón
100 g de salmón ahumado
unas ramitas de perifollo

Fácil • Coste medio

Por persona aproximadamente 2 340 kJ/560 kcal · 32 g de proteínas · 45 g de grasas · 5 g de hidratos de carbono

Tiempo de preparación: 20 minutos

Tiempo de cocción: 45 minutos

Lave con agua fría los recortes de salmón. Pele la cebolla y cuartéela, déjela cocer lentamente durante 30 min, junto con los recortes de salmón, la hoja de laurel, la sal, el agua y los granos de pimienta. • Vierta el caldo a través de un tamiz dispuesto sobre una cacerola. Lave el salmón, añádalo al caldo de pescado y déjelo cocer a fuego lento de 12 a 15 min. • Limpie el pescado de piel y espinas y desmenúcelo. • Reserve 3,5 d del clado y páselo por un tamiz. • Caliente la mantequilla en una cacerola, añada la harina y remueva hasta que se dore, vierta por encima lentamente el caldo de pescado. Agregue después la crema de leche y el queso. Condimente con la sal, la pimienta, el azafrán y el zumo de limón. Deje cocer un momento la crema y retírela del fuego. • Corte el salmón ahumado en tiras. Sirva la crema en tazones precalentados y adórnela con el salmón ahumado en tiras, y el perifollo.

Sopa de pescado con patatas

Su peculiaridad se debe a la variedad de pescados que incluye

750 g de pescados de agua dulce, como percas, truchas y/o tencas
500 g de patatas
1 cebolla grande o 1 puerro
1 cucharada de mezcla de especias
1 hoja de laurel
½ cucharada de sal
2 cucharadas de mantequilla
1 dl de crema de leche agria
1 pizca de pimienta blanca
1 manojo de eneldo

Coste medio • Especialidad finlandesa

Por persona aproximadamente 1 570 kJ/ 375 kcal · 40 g de proteínas · 13 g de grasas · 23 g de hidratos de carbono

Tiempo de preparación: 30 minutos

Tiempo de cocción: 45 minutos

Limpie los pescados y lávelos bajo el chorro del agua fría; séquelos y córtelos en trozos grandes. Pele las patatas, lávelas y córtelas en dados grandes. Pele la cebolla y córtela en aros o limpie el puerro, lávelo y córtelo también en aros. • En una cacerola grande y ancha que pueda llevarse a la mesa coloque primero los trozos de patata, la cebolla o el puerro, los granos de especias y la hoja de laurel. Añada los trozos de pescado. Esparza la sal por encima del pescado y después la mantequilla en copos. Deje cocer a fuego lento durante 30 minutos, añadiendo agua hasta cubrir los ingredientes. • Mezcle después la sopa con la crema de leche agria y condiméntela con sal y pimienta. Lave el eneldo, séquelo y píquelo finamente. Poco antes de servir espárzalo sobre la sopa. • Le recomendamos lo acompañe con pan de centeno fresco crujiente.

Sopa de sémola de cebada con pescado

Pescado en una combinación poco corriente

100 g de sémola de cebada fina
1 l de agua
1 hoja de laurel
1 cucharada de cubito de caldo de verduras
1 manojo de hortalizas para el caldo
400 g de filetes de bacalao
100 g de guisantes desgranados
1 pizca de tomillo seco, mejorana y albahaca
100 g de filetes de caballa ahumados
100 g de quisquillas
2 cucharadas de perejil finamente picado
1 pizca de pimienta negra recién molida
2-3 cucharadas de limón

Receta integral • Fácil

Por persona aproximadamente 1 110 kJ/265 kcal · 31 g de proteínas · 5 g de grasas · 21 g de hidratos de carbono

Tiempo de remojo: 12 horas
Tiempo de preparación: 35 min

Ponga la sémola a remojar con el agua en una cacerola durante 12 horas. • Antes de ponerla a cocer añada la hoja de laurel y el cubito y deje cocer durante 15 minutos. • Lave las hortalizas para el caldo y trocéelas. Lave el pescado y añádalo junto con las hortalizas, los guisantes y las hierbas secas a la sopa. Déjela cocer otros 15 minutos a fuego lento. • Saque el pescado y desmenúcelo junto con la caballa ahumada. Pele las quisquillas; lávelas bajo el chorro del agua, y agréguelas a la sopa junto con los trozos de pescado y el perejil; condimente con la pimienta, el zumo de limón y —si lo desea— un poco más de caldo de cubito.

Crema de pescado

La mezcla de verduras hace que esta sopa resulte tan interesante

100 g de puerros, zanahorias y champiñones
300 g de calabacines
3 cucharadas de aceite de sésamo u otro aceite de semillas
1 l de agua caliente
1 cucharada de caldo de verdura (de cubito)
400 g de filetes de merluza o de bacalao
3 cucharadas de zumo de limón
4 cucharadas de harina de trigo integral
1 dl de crema de leche
2 cucharadas de tomate concentrado
1 pizca de pimienta blanca recién molida
1-2 cucharaditas de sal de hierbas · 2 ramitas de eneldo

Receta integral • Fácil

Por persona 1 255 kJ/300 kcal · 21 g de proteínas · 16 g de grasas · 16 g de hidratos de carbono

Tiempo de preparación: 35 min

Prepare las verduras, límpielas y córtelas en rodajas finas. Caliente el aceite en una cacerola grande y sofría en ella la verdura, dándola vueltas durante unos 5 minutos. Añada el agua y el caldo de cubito y dé un hervor. Lave el pescado, rocíelo con 2 cucharadas de zumo de limón y añádalo al recipiente. Deje cocer a fuego lento durante 15 minutos. • Pase por la batidora eléctrica las verduras con 200 g de pescado y el líquido; vierta de nuevo en la cacerola y dé un hervor. Mezcle la harina con la crema de leche y el tomate concentrado. Añada la mezcla, removiendo, a la crema y deje hervir de 2-3 minutos. • Corte el pescado restante en trozos pequeños y vuelva a calentarlo en la crema. • Retire la cacerola del fuego y sazone la crema con la pimienta, la sal de hierbas y el zumo de limón restante; adorne con hojas de eneldo.

Sopa de guisantes con quisquillas

¡Rica en proteínas, muchas vitaminas y tan sabrosa!

Crema de mejillones

Un plato asequible para quedar bien

2 cucharadas de mantequilla	
400 g de guisantes desgranados	
¾ l de caldo de carne caliente	
250 g de quisquillas	
1,2 dl de vino blanco seco	
1 pizca de pimienta blanca recién molida	
1 pizca de albahaca seca	
1 cebolla · 1 pizca de azúcar	
1,2 dl de crema de leche agria	
2 yemas de huevo	

Fácil • Rápida

Por persona 1 255 kJ/300 kcal · 20 g de proteínas · 14 g de grasas · 18 g de hidratos de C.

Tiempo de preparación: 30 min

Pele la cebolla y córtela en dados pequeños. Caliente la mantequilla en una cacerola. Ponga a dorar en ella los dados de cebolla. Añada los guisantes y vierta el caldo de carne caliente. Deje cocer a fuego lento durante 10 minutos. • Precaliente el horno a 240°. Pele las quisquillas, lávelas bajo el chorro del agua fría y déjelas escurrir. Añada el vino blanco a la sopa y sazónela con la pimienta, la albahaca triturada y el azúcar. Incorpore también las quisquillas y caliéntelas, pero sin dejarlas hervir. Bata la crema de leche agria con las yemas. Reparta la sopa caliente en cuatro tazones o platos precalentados; vierta la crema de leche agria por encima y ponga los platos bajo el grill hasta que la capa de crema adquiera un color ligeramente tostado. • Sirva la sopa en seguida.

Nuestra sugerencia: Al comprar guisantes frescos con su vaina, deberá calcular por lo menos la mitad del peso de desperdicio. Los guisantes ya desgranados y ultracongelados son un sustituto casi equivalente.

1 kg de mejillones	
¼ l de vino blanco seco	
50 g de tocino entreverado	
2 cebollas y 2 tomates	
75 g de tallo de apio	
2 cucharadas de harina	
3 cucharadas de mantequilla	
1,2 dl de crema de leche	
1 zanahoria · 1 yema	
1 pizca de sal y pimienta blanca	

Elaborada

Por persona 2 455 kJ/585 kcal · 33 g de proteínas · 36 g de grasas · 19 g de hidratos de C.

Tiempo de preparación: 40 min

Tiempo de cocción: 30 minutos

Cepille bajo el chorro del agua los mejillones y colóquelos en una cacerola con el vino blanco, déjelos cocer al vapor hasta que se hayan abierto todas las conchas (elimine las conchas que continúen cerradas). Durante esta operación agite de vez en cuando el recipiente. Saque la carne de las valvas. Corte el tocino en dados pequeños. Corte las cebollas en aros. Haga una incisión en forma de cruz a los tomates, escáldelos en agua hirviendo, pélelos, elimine las semillas, córtelos en trozos y después en dados. Raspe la zanahoria y córtela en tiras. Pele el tallo de apio, lávelo y córtelo en rodajas. • Ponga a freír los dados de tocino y sofría en él la verdura preparada, salvo las tiras de zanahoria. Pase el fondo de cocción de mejillones con un tamiz y añádale agua hasta completar 1 l. Añada el líquido a la verdura y deje cocer a fuego lento 20 min. • Pase la sopa por un tamiz. Dore la harina en la mantequilla, añádale el caldo de verduras y dé un hervor. Seguidamente añada los mejillones y las tiras de zanahorias. • Bata la crema de leche con la yema de huevo, mézclala con 2 cucharadas de la sopa caliente. Espese con ello la preparación y sazónela.

25

Sopas de pescado típicas

Estas sopas son prueba de la gran variedad de la cocina del pescado

Sopa de pescado española

A la izquierda de la foto

500 g de tomates
500 g de pimientos rojos y verdes
3 cebollas · 3 dientes de ajo
6 cucharadas de aceite de oliva
100 g de arroz blanco
1 l de agua caliente
500 g de filetes de gallineta, bacalao o merluza
1 cucharada de zumo de limón
1 cucharadita de romero recién picado o ½ cucharadita de romero molido
1 cucharada de perejil picado
1 cucharadita de sal marina

Fácil

Por persona 1 860 kJ/445 kcal · 28 g de proteínas · 20 g de grasas · 34 g de hidratos de carbono

Tiempo de preparación: 20 min

Tiempo de cocción: 30 minutos

Haga una incisión en forma de cruz a los tomates, escáldelos en agua hirviendo, pélelos y córtelos en ocho trozos. Corte los pimientos en cuatro trozos, eliminando semillas y pedúnculos y córtelos después en tiras finas a lo largo. Pele las cebollas y los dientes de ajo, píquelos y dórelos en una cazuela con el aceite. Añada el arroz, las tiras de pimiento y los tomates y sofría a fuego vivo durante 5 min. Añada el agua. Deje cocer la sopa lentamente durante 25 min. • Lave el pescado, rocíelo con el zumo de limón, trócelo y añádalo a la sopa junto con el romero; prosiga la cocción 5 min más a fuego lento. • Añada las hierbas y sazone con la sal.

Caldo ligero de pescado

A la derecha de la foto

1 manojo de hortalizas para el caldo
1½ l de agua
1 hoja de laurel
5 granos de pimienta blanca
2 granos de pimienta de Jamaica
1 cucharadita de granos de eneldo
250 g de tomates
50 g de tallo de apio pelado
100 g de zanahorias
100 g de guisantes desgranados
400 g de filetes de merluza, gallineta o bacalao
3-4 cucharadas de zumo de limón
2-3 cucharaditas de sal de hierbas
unas ramas de eneldo

Económica

Por persona 500 kJ/120 kcal · 19 g de proteínas · 0,4 g de grasas · 9 g de hidratos de carbono

Tiempo de cocción: 30 minutos

Prepare las hortalizas para el caldo, lávelas y píquelas, luego déjelas cocer con el agua, la hoja de laurel, la pimienta y el eneldo durante 15 minutos. • Entretanto, haga una incisión en forma de cruz a los tomates, escáldelos en agua hirviendo, pélelos y córtelos en dados. Raspe el apio y las zanahorias y córtelos en tiras finas. • Pase el caldo de verduras por un tamiz y hágalo hervir de nuevo. Añada las tiras de apio y zanahoria, así como los guisantes. Lave el pescado, rocíelo con 1 cucharada de zumo de limón y añádalo al caldo con los dados de tomate. Condimente con el zumo de limón restante y la sal de hierbas. Adorne con el eneldo. • Le aconsejamos sirva este caldo con triángulos de pan integral tostados, que, cuando están calientes, se frotan con un diente de ajo partido por la mitad.

Sopas de pescado famosas

Con pescados de agua dulce de calidad especial

Sopa de pescado con picatostes

A la izquierda de la foto

750 g de pescado de agua dulce, como carpa, lucio o anguila

1½ de agua · 1 cucharada de sal

4 cucharadas de vinagre · 2 cebollas

1 hoja de laurel

8 granos de pimienta

100 g de zanahorias

100 g de apio nabo

3 cucharadas de harina

2 cucharadas de aceite de semillas

1 cucharadita de pimentón dulce

1 dl de crema de leche agria

1 pizca de sal y de pimienta blanca

1 cucharada de perejil picado

2 rebanadas de pan blanco

1 cucharada de mantequilla

Especialidad húngara

Por persona 1 715 kJ/410 kcal · 38 g de proteínas · 20 g de grasas · 18 g de hidratos de carbono

Tiempo de preparación: 30 min
Tiempo de cocción: 45 minutos

Limpie el pescado y lávelo bajo el chorro del agua fría, córtelo después en trozos grandes y déjelo cocer a fuego lento unos 20 min en el agua salada hirviendo con el vinagre, las cebollas peladas, la hoja de laurel y los granos de pimienta. • Raspe las zanahorias y el apio nabo, lávelos y córtelos en rodajas. Cuele el caldo de pescado, añada la verdura y deje cocer 15 min. • Dore la harina en el aceite, añada el pimentón y vierta el caldo removiendo sin cesar. Deje hervir la sopa, añada la crema de leche agria y sazone con sal y pimienta. Quite las espinas a los trozos de pescado y caliéntelos en la sopa. Espolvoree con el perejil. • Retire la costra del pan, córtelo en dados y fríalos en la mantequilla. Sirva la sopa con los picatostes.

Sopa de anguila

A la derecha de la foto

Ingredientes para 6 personas:

750 g de anguila fresca

¾ l de agua · 1 limón

½ cucharadita de sal

½ l de vino blanco seco

1 cucharada de harina

2 cucharadas de mantequilla

2 cucharadas de alcaparras

1 cucharada de perejil picado

1 pizca de sal y de pimienta blanca recién molida

1 pizca de azúcar

1 cucharada de zumo de limón

2 yemas de huevo

1,2 dl de crema de leche

Especialidad holandesa

Por persona 2 110 kJ/505 kcal · 20 g de proteínas · 43 g de grasas · 3 g de hidratos de carbono

Tiempo de preparación: 10 min
Tiempo de cocción: 25 minutos

Lave la anguila y córtela en trozos. • Hierva el agua con la sal y la anguila 15 min con la olla sin tapar, retirando la espuma. • Añada a la anguila el vino y ½ limón lavado y cortado en rodajas y deje cocer 5 min a fuego lento. Saque los trozos de anguila del caldo, quíteles las espinas y consérvelos al calor. Cuele el caldo. • Dore la harina en la mantequilla sin dejar de remover y añada poco a poco el caldo; lleve a ebullición. Añada a la sopa las alcaparras y el perejil, y condiméntela con las especias y el zumo de limón. • Bata las yemas con la crema de leche, añada un poco de sopa caliente y utilice esta mezcla para trabar la sopa. Introduzca en la sopa los trozos de anguila y la otra mitad del limón cortada en rodajas. Adorne al gusto con una juliana de cáscara de limón. No deje hervir la sopa, pero ¡sírvala muy caliente!

Arenques con crema de mostaza

Siempre bienvenidos como bocado picante

| 1 cebolla |
| ½ l de agua |
| 1,2 dl de vinagre |
| 2 cucharadas de azúcar |
| 4 bayas de enebro |
| 8 filetes de arenques «matjes» |
| (arenques ligeramente salados) |
| de 50 g cada uno |
| 1 naranja |
| 1,2 dl de crema de leche |
| 1 escalonia |
| 2 cucharaditas de mostaza |
| semifuerte |
| 1 cucharadita de mostaza fuerte |

Especialidad danesa •
Elaborada

Por persona aproximadamente
1 820 kJ/435 kcal · 18 g de
proteínas · 33 g de grasas · 17 g
de hidratos de carbono

Tiempo de preparación:
40 minutos
Tiempo de marinada: 1 día

Pele la cebolla, córtela en aros y hiérvala con el agua, el vinagre, el azúcar y las bayas de enebro; después deje enfriar. • Corte los filetes de arenque en trozos, cúbralos con la marinada y resérvelos tapados en el frigorífico durante 24 horas. • Escurra el líquido de la marinada. Lave la naranja, corte un trozo pequeño de la cáscara y redúzcalo a juliana. Retire la cáscara restante con la piel blanca. Corte la naranja en rodajas y divídalas en cuatro. • Mezcle los trozos de arenques con los aros de cebolla y las rodajas de naranja. Eche por encima una cucharadita de juliana de cáscara de naranja. • Bata la crema de leche hasta que esté firme. Pele la escalonia, rállela muy fina e incorpórela a la crema batida con la mostaza. Sirva la crema de mostaza con los filetes de arenque.

Canapés de crema de caballa

Bocaditos finos para el aperitivo

| Ingredientes para 8 canapés: |
| 300 g de caballa ahumada |
| 250 g de requesón |
| («Speisequark») |
| 1 cucharada de zumo de limón |
| 1 pizca de sal, de pimienta |
| blanca recién molida y de |
| pimentón dulce |
| 4 rebanadas de pan de molde |
| 4 cucharaditas de mantequilla |
| blanda |
| 12 aceitunas negras |
| ½ manojo de eneldo |

Fácil • Económica

Por persona aproximadamente
880 kJ/210 kcal · 13 g de
proteínas · 15 g de grasas · 7 g
de hidratos de carbono

Tiempo de preparación:
20 minutos

Quite a la caballa la piel y las espinas. Reduzca los filetes a puré y mézclelos con el requesón y el zumo de limón. Condimente la crema obtenida con la sal, la pimienta y el pimentón. Quite la corteza al pan y úntelo con la mantequilla. Corte las rebanadas en diagonal para obtener 8 triángulos. • Introduzca la crema en una manga pastelera provista de boquilla de estrella grande y adorne con ello el pan. Deshuese las aceitunas y córtelas por la mitad. Lave el eneldo y escúrralo. Adorne los canapés con mitades de aceitunas y el eneldo.

Nuestra sugerencia: Esta crema puede variarse de muchas formas. Tiene, por ejemplo, un gusto muy noble con 300 g de salmón ahumado finamente picado. La mitad del requesón puede sustituirse por crema batida. Un poco de zumo de limón le dará una gracia especial; en lugar de aceitunas puede adornar los canapés con aros de cebolla finísimos y tiras de salmón ahumado.

Entradas muy apreciadas en la cocina rápida

Ideales cuando se desea dejarlos preparados con antelación

Cóctel de arenques

Arriba de la foto

4 filetes de arenques «matjes» (ligeramente salados)
150 g de tallo de apio cocido
1 manzana ácida · 2 huevos duros
el zumo de 1 limón
2 cucharadas de vinagre de vino
½ cucharada de mostaza picante
1 cucharada de aceite
1 cebolla finamente picada
1 cucharada de salsa ketchup
unas gotas de tabasco
1 pizca de sal y azúcar

Económica • Fácil

Por persona 940 kJ/225 kcal · 12 g de proteínas · 14 g de grasas · 11 g de hidratos de C.

Tiempo de cocción: 30 minutos

Ponga a remojar los filetes en agua 20 min, séquelos y córtelos en dados con el apio y la manzana pelada; rocíelos con el zumo de limón. Mezcle las yemas con los ingredientes restantes. • Adorne el cóctel con la salsa y la clara de huevo cortada en tiras.

Rollitos de salmón rellenos (Abajo en la foto)

1 manzana ácida pequeña
1 huevo duro · 1 limón
40 g de raiforte fresco o 1 pizca molido
1 cucharada de zumo de limón
1 cucharada de aceite
5 cucharadas de crema de leche
1 pizca de sal y azúcar
8 lonchas de salmón ahumado
unas hojas de escarola
1-2 ramitas de eneldo o perejil

Rápido • Fácil

Por persona 1 085 kJ/260 kcal · 20 g de proteínas · 16 g de grasas · 8 g de hidratos de C.

Tiempo de cocción: 20 minutos

Pele la manzana, el huevo y el raiforte, córtelos en dados y bátalos junto con el zumo de limón, el aceite y la crema de leche, hasta obtener una crema lisa. Condiméntela y úntela sobre el salmón, enrolle éste y preséntelo sobre hojas de escarola. Adorne con rodajas de limón y el eneldo o perejil.

Bocaditos de pescado especiales

Entradas ligeras, preparadas y servidas de modo diferente

Pescado con berros

A la izquierda de la foto

300 g de filetes de bacalao o merluza · 1 pizca de pimienta
2 cucharadas de hojas de té negro
2 de zumo de limón · 3 de crema de leche · 1 de tomate concentrado
2 de alcaparras picadas · 2 de perejil picado · ½ de pimentón dulce y
1 de sal de hierbas · ½ manzana rallada · 150 g de requesón magro
2 manojos de berros
Para el cestillo: mantequilla

Fácil

Por persona 545 kJ/130 kcal · 18 g de proteínas · 3 g de grasas · 7 g de hidratos de carbono

Tiempo de cocción: 20 minutos

Lave el pescado. Coloque ¼ l de té en una cacerola con cestillo. Unte con mantequilla el cestillo y ponga encima el pescado, rocíelo con zumo de limón y cúbralo con la pimienta; déjelo cocer al va-por 10 min. • Distribuya los berros en cuatro platos. • Prepare una salsa con el requesón, la crema de leche, el tomate, la manzana, el té, las alcaparras, el perejil y el pimentón. • Ponga el pescado sobre los berros, condiméntelo con el zumo de limón restante, la sal de hierbas y vierta la salsa por encima.

Galletas de pescado

Arriba de la foto

Ingredientes para 15 galletas:
100 g de harina de trigo sarraceno e integral
1 dl de crema de leche agria
200 g de arenques desalados
2 escalonias · 3 huevos duros
100 g de petit suisse natural
1 dl de crema de leche
1 cucharada de comino molido
1 de levadura en polvo · ½ de sal · 1 de perejil o eneldo picado · 100 g de margarina
Para la placa de horno: margarina

Receta integral

Por persona 1 005 kJ/240 kcal · 5,5 g de proteínas · 25 g de grasas · 3,5 g de hidratos de C.

Tiempo de preparación: 40 min
Tiempo de horneado: 15 min

Amase juntas las dos harinas, la levadura. el comino, la sal, la margarina y la crema de leche agria y forme con la masa un ro-llo. Colóquelo 30 minutos en el congelador. • Precaliente el horno a 200°. Corte la masa en rodajas de ½ cm de grosor y hornéelas en una placa engrasada 15 min. • Corte los filetes de arenque, las es-calonias y los huevos en dados pequeños, mézclelos con el petit suisse natural, la crema de leche y el eneldo y unte con ello las galle-tas frías.

Tostas de arenques ahumados

Abajo de la foto

4 rebanadas de pan de molde integral · 4 huevos
1 dl de leche
100 g de filetes de arenque ahumado · 1 tomate
2 cucharadas de mantequilla
2 de harina de trigo integral · 1 de mantequilla
½ de sal marina · 4 de cebollino picado

Receta integral • Rápida

Por persona 960 kJ/230 kcal · 9 g de proteínas · 13 g de grasas · 17 g de hidratos de carbono

Tiempo de preparación: 15 min

Tueste el pan y úntelo con la mantequilla. • Bata los hue-vos con la harina y la leche. Corte el pescado en trozos y sofríalo en la mantequilla. Vierta encima la mezcla de huevos, déjela cuajar, sálelo y mezcle con el cebollino, disponga la preparación sobre las tostadas y adórnelas con el toma-te cortado en ocho rodajas.

Rollitos de platija con pimiento

Una buena forma de servir rollitos de platija

Tortilla de quisquillas

Una entrada tradicional

| 2 pimientos verdes |
| 1 pizca de sal · 8 filetes de platija |
| el zumo de 1 limón |
| ½ cucharadita de sal |
| ½ cucharadita de pimienta |
| blanca · 2 cucharaditas de mostaza |
| 1 zanahoria · ½ apio nabo |
| 200 g de quisquillas enteras |
| ¼ l de crema de leche |
| 1 yema de huevo |
| 2 cucharadas de perejil o eneldo |
| finamente picado |

Elaborada

Por persona 1 570 kJ/375 kcal ·
30 g de proteínas · 23 g de grasas
· 10 g de hidratos de carbono

Tiempo de preparación: 1 hora

Lave los pimientos, córtelos por la mitad y quite las semillas. Blanquee las mitades de pimiento en ¼ l de agua hirviendo durante 3 min y consérvelas después calientes. Reserve el caldo de cocción. ● Lave los filetes de platija, séquelos,

rocíelos con el zumo de limón, salpiméntelos y úntelos con la mostaza. Enrolle los filetes de pescado y sujételos con palillos. Raspe la zanahoria y el apio nabo, píquelos y póngalos a cocer con los rollos de platija en el caldo de cocción de los pimientos 6 min a fuego lento. ● Ponga 2 rollitos de pescado en cada medio pimiento dispuestos en 4 platos y resérvelos al calor. ● Lave las quisquillas, pélelas, ponga las cáscaras a hervir en el caldo de pescado y verduras 15 min. ● Pase el caldo por un tamiz fino y hágalo hervir hasta que se reduzca a ⅛ l. Ponga a hervir la crema de leche hasta que quede reducida a la mitad y añádala después al caldo. Bata la yema de huevo y ligue con ella la salsa; aromatícela con un poco de limón. Añada las quisquillas y déjelas cocer 2 min. ● Vierta la salsa de quisquillas sobre los rollitos de platija. Sirva espolvoreado con el eneldo.

| 250 g de quisquillas o gambas |
| 1 cucharadita de zumo de limón |
| 1 cucharada de perejil o eneldo |
| finamente picado |
| 8 huevos |
| ½ cucharadita de sal |
| 1 pizca de pimienta negra recién |
| molida y nuez moscada recién |
| rallada |
| 2 cucharadas de mantequilla |
| 1 ramito de eneldo o perejil |

Rápida ● Elaborada

Por persona aproximadamente
1 130 kJ/270 kcal · 24 g de
proteínas · 19 g de grasas · 0,5 g
de hidratos de carbono

Tiempo de cocción: 25 minutos

Pele y retire el cordón intestinal a las gambas o quisquillas. Lávelas bajo el chorro del agua fría y séquelas con un lienzo, rocíelas seguidamente con el zumo de limón y espolvoréelas con el

perejil o eneldo. ● Bata los huevos con 4 cucharadas de agua y sazónelos con la sal, la pimienta y la nuez moscada. ● Caliente ½ cucharada de mantequilla en una sartén y deje cuajar la cuarta parte de la mezcla a fuego lento de ½ a 1 minuto; la superficie de la tortilla deberá estar brillante y todavía algo húmeda. Deslice la tortilla a un plato precalentado y consérvela al calor. Con la mezcla de huevos restante y en la mantequilla sobrante, fría otras 3 tortillas. ● Rellénelas con las quisquillas y adorne con el perejil o eneldo. Sírvalas en seguida. ● Le aconsejamos que las acompañe de una ensalada de lechuga y escarola.

Nuestra sugerencia: Las tortillas deberían servirse lo más pronto posible. Por ello es aconsejable freírlas en varias sartenes simultáneamente.

Entradas de pescado originales

Antes de agasajar a sus invitados, coma verdura, ello le permitirá conservar la línea

Suflé de pescado con mijo

A la izquierda de la foto

200 g de filetes de abadejo o bacalao

1 cucharada de zumo de limón

1 pizca de pimienta blanca molida

½ cucharadita de sal marina

100 g de zanahorias

50 g de mijo · 1,2 dl de agua

6 cucharadas de leche · 2 huevos

1 cucharada de albahaca picada

2 cucharaditas de maicena

Para el molde: mantequilla

Receta integral • Elaborada

Por persona aproximadamente 690 kJ/165 kcal · 15 g de proteínas · 4 g de grasas · 16 g de hidratos de carbono

Tiempo de preparación: 50 min
Tiempo de horneado: 30 min

Si fuera necesario, ponga los filetes de pescado durante 10 minutos en el congelador, porque resultan más fáciles de cortar. • Corte el pescado después en dados de ½ cm y mézclelos con el zumo de limón, la sal y la pimienta. • Raspe la zanahoria, córtela en dados pequeños y póngala a cocer con el mijo tapada en el agua durante 10 minutos a fuego lento. Añada la leche. Dé otro hervor y deje cocer otros 10 minutos, deje escurrir después la preparación en un tamiz. • Precaliente el horno a 200°. Unte con grasa un molde refractario de suflé. • Separe las claras de las yemas. Mezcle el mijo y las verduras con el pescado, la albahaca y las yemas de huevo. Bata las claras a punto de nieve, añádales la maicena y mézclelas con cuidado con la masa de pescado. • Vierta ésta en el molde y hornee durante 30 minutos. • Sirva el suflé de pescado directamente del horno.

Filetes de gallineta con brotes de soja

A la derecha de la foto

300 g de filetes de gallineta

4 cucharadas de zumo de limón o lima

2 cucharadas de salsa de soja

1 pizca de pimienta blanca recién molida

200 g de brotes de soja frescos enlatados

1 cucharada de mantequilla

1 cucharada de aceite de oliva

2 huevos

1 dl de crema de leche

1 cucharadita de pimentón dulce

3 cucharadas de cebollino picado

Receta integral • Rápida

Por persona aproximadamente 1 025 kJ/245 kcal · 20 g de proteínas · 17 g de grasas · 2 g de hidratos de carbono

Tiempo de cocción: 15 min

Lave el pescado, córtelo en tiras finas y mézclelo con el zumo de limón o lima, la salsa de soja y la pimienta. • Deje escurrir los brotes de soja. • Caliente la mantequilla y el aceite en una sartén. Sofría en ella los brotes de soja, removiendo durante 4 minutos. Añada el pescado marinado y fríalo, removiendo sin cesar durante 3 minutos. Saque el pescado junto con los brotes de la sartén y consérvelo al calor. • Bata los huevos con la crema de leche y la pimienta molida. Vierta la mezcla en la sartén y déjela cuajar, removiendo sin cesar durante 2 minutos; añádale 2 cucharadas de cebollino finamente picado. • Ponga los huevos revueltos en una fuente de servicio precalentada. Sazone las tiras de pescado y los brotes de soja con el zumo de limón restante y viértalos sobre los huevos. Esparza el cebollino restante por encima y sirva.

Entradas elegantes con mariscos

Los sibaritas que disfrutan con los mariscos quedan aquí satisfechos

Cigalas gratinadas con rodajas de pepino

A la izquierda de la foto

---

16 cigalas

½ pepino · 2 yemas de huevo

2 cucharadas de vino blanco

1 pizca de sal

½ cucharadita de pimienta blanca recién molida

1 pizca de azúcar

125 g de mantequilla bien fría

1 manojo de estragón fresco o

½ cucharadita de estragón seco

Para la fuente: mantequilla

Especialidad francesa

Por persona 1 590 kJ/380 kcal · 23 g de proteínas · 30 g de grasas · 30 g de hidratos de carbono

Tiempo de cocción: 30 minutos

Pele las cigalas y elimine el cordón intestinal; lávelas y séquelas. Pele el pepino y córtelo por la mitad a lo largo. Extraiga las semillas con una cuchara. Corte el pepino en rodajitas. Unte con mantequilla una fuente refractaria. Recaliente el horno a 250°. • Vierta las cigalas y las rodajitas de pepino en la fuente. Bata en un cuenco las yemas con el vino blanco, la sal, la pimienta y el azúcar; después póngalo al baño maría, a fuego lento, y vaya añadiendo poco a poco la mantequilla en forma de copos, removiendo con la batidora de varillas. Lave el estragón fresco, séquelo, pique finamente las hojas y mézclelas con la crema de mantequilla. Vierta la salsa sobre las cigalas y las rodajitas de pepino. Gratine en el horno durante 5 minutos. • Le aconsejamos que acompañe este plato con picatostes recién fritos.

Nuestra sugerencia: En lugar del pepino, puede utilizar calabacines escaldados.

Volovanes de quisquillas

A la derecha de la foto

---

125 g de champiñones

2 cucharaditas de zumo de limón

50 g de mantequilla

2 cucharadas de harina

1,2 dl de caldo de ave caliente

1,2 dl de vino blanco seco

¼ l de crema de leche

250 g de quisquillas

200 g de yemas de espárragos recién cocidas

1 pizca de sal · 1 pizca de azúcar

½ cucharadita de pimienta blanca recién molida

2 yemas de huevo

unas ramitas de perejil o eneldo

4 volovanes de hojaldre

Rápida • Coste medio

Por persona 1 670 kJ/400 kcal. · 14 g de proteínas · 31 de grasas · 10 g de hidratos de carbono

Tiempo de cocción: 30 minutos

Prepare los champiñones, lávelos y córtelos en rodajitas finas, rocíelos después con el zumo de limón, y fríalos en la mitad de la mantequilla hasta que su líquido se evapore. • Con la mantequilla restante, la harina, el caldo de ave y el vino prepare una salsa, déjela hervir unos minutos y añádale después la crema de leche. Incorpórele las quisquillas peladas, las yemas de espárragos y los champiñones y déjela cocer lentamente durante 5 minutos. • Precaliente el horno a 200°. • Condimente el guiso con la sal, la pimienta y el azúcar. Bata las yemas de huevo con 2 cucharadas de salsa caliente. Espese con ello el guiso y no lo deje hervir más.

Lave el eneldo o perejil; séquelo, píquelo y mézclelo con el guiso. • Caliente un momento en el horno los volovanes de hojaldre y rellénelos con el guiso de quisquillas.

33

Filetes de arenques al estilo del ama de casa

Una receta que no puede faltar en ningún repertorio de pescado

| 4 arenques «matjes» (ligeramente salados) |
| 100 g de mayonesa |
| 1 dl de crema de leche agria |
| 1 hoja de laurel |
| 6 granos de pimienta |
| 1 pizca de sal y azúcar |
| 1 pizca de pimienta blanca recién molida |
| 2 cebollas y 2 pepinillos en vinagre |
| 2 manzanas ácidas |
| 1 manojo de eneldo o perejil |
| unas hojas de lechuga |

Fácil • Económica

Por persona aproximadamente
2 715 kJ/650 kcal · 27 g de
proteínas · 52 g de grasas · 18 g
de hidratos de carbono

Tiempo de cocción: 50 minutos

Corte a lo largo los arenques por el lado de las tripas y extraiga éstas, eliminando la piel oscura del interior. Con un cuchillo afilado haga una incisión en la piel del dorso y quítela, de la cabeza hacia la cola; corte la cabeza y la cola. Extraiga la espina central por la parte interior de la cola hacia la cabeza. Ponga a remojar los filetes 30 minutos en agua fría.
• Entretanto, mezcle la mayonesa con la crema de leche agria, la hoja de laurel y los granos de pimienta; condimente con la sal, la pimienta y el azúcar. Pele las cebollas y córtelas en aros. Corte en dados pequeños los pepinillos en vinagre. Lave las manzanas, córtelas en cuatro trozos, elimine el corazón y córtelas en rodajas finas. Mezcle la mayonesa preparada con las rodajitas de manzana, los aros de cebolla y los dados de pepino. Lave el eneldo o perejil, séquelo, píquelo finamente y añádalo a la salsa, apartando unas ramitas para adornar. Elimine la hoja de laurel. • Saque los filetes de arenque del agua, séquelos y póngalos en una fuente de servicio. Cúbralos con parte de la salsa y adórnelos con las ramitas de eneldo o perejil, las hojas de lechuga lavadas y —si lo desea— con rodajitas de limón y manzana y aros de cebolla. Sirva la salsa restante aparte.

Pescado agridulce

Picante, ligero y de gusto sorprendente

Lubina en salsa roja

Un plato típico para el «Wok» oriental o para una sartén grande

500 g de filetes de rodaballo
el zumo de 1 limón pequeño
50 g de champiñones
100 g de brotes de bambú
2 escalonias · 1 cebolla tierna
4 cucharadas de aceite de sésamo u otro aceite de semillas
2 cucharadas de harina
1 pizca de sal · 1,2 dl de agua
1 cucharada de salsa de soja y de vinagre
2 cucharaditas de azúcar
1 cucharada de maicena

Especialidad china • Fácil

Por persona 670 kJ/160 kcal. · 22 g de proteínas · 2 g de grasas · 12 g de hidratos de carbono

Tiempo de cocción: 45 minutos

Lave al chorro del agua fría los filetes de pescado, séquelos y córtelos en dados de 3 cm de grosor y rocíelos con el zumo de limón. • Prepare los champiñones, lávelos, séquelos y córtelos en rodajitas finas. Deje escurrir los brotes de bambú y córtelos finamente. Pele las escalonias y córtelas en dados. • Caliente el aceite en una sartén grande. Sofría los dados de pescado salados en el aceite, removiendo sin cesar durante 6 minutos. Reserve el pescado al calor en una fuente. • Dore la verdura preparada en el aceite restante. Mezcle el agua con la salsa de soja, el vinagre, el azúcar y la maicena, incorpore a la verdura y dé un hervor. Prepare la cebolla tierna, lávela y córtela en tiras finas. Vierta la verdura sobre los dados de pescado y reparta las tiras de cebolla tierna por encima. • Le aconsejamos sirva este plato con pan blanco tostado con mantequilla.

Nuestra sugerencia: Los brotes de bambú no gustan a todos. Como variante no menos tradicional les proponemos brotes de soja frescos.

600 g de filetes de lubina
2 escalonias
3 cucharadas de maicena
1 cucharadita de sal
3 cucharadas de aceite de cacahuete
1,2 dl de agua
½ cucharadita de caldo de verdura (de cubito)
2 cucharadas de tomate concentrado
4 cucharadas de ketchup
2 cucharadas de jerez seco

Especialidad china • Económica

Por persona aproximadamente 920 kJ/220 kcal · 27 g de proteínas · 8 g de grasas · 9 g de hidratos de carbono

Tiempo de cocción: 35 minutos

Lave los filetes de pescado, séquelos y córtelos en trozos de 3 × 5 cm y de ½ cm de grosor. Pele las escalonias y píquelas finamente. • Mezcle 2 cucharadas de maicena con ½ cucharadita de sal y reboce los trozos de pescado. • Caliente el aceite en un «wok» o sartén grande y fría en él el pescado durante 2 a 3 minutos, removiendo sin cesar; sáquelo de la sartén. • Mezcle la fécula restante con un poco de agua fría. Lleve a ebullición el agua en la sartén. Vierta el caldo de verdura de cubitos, añada las escalonias, la maicena disuelta, el tomate concentrado, el ketchup y deje que la salsa dé un hervor. Sazónela con sal y aromatícela con el jerez. • Deje calentar el pescado un momento en la salsa, pero sin que llegue a hervir. • Aconsejamos que acompañe este plato con arroz hervido.

Nuestra sugerencia: El pescado resulta más sabroso si, en lugar de las escalonias, fríe en el aceite de cocer el pescado un manojo de cebollas tiernas cortadas en rodajas.

Nuevas creaciones

Platos ricos en vitaminas con muchos pescados: aromáticos e interesantes

Aguacates rellenos

A la izquierda de la foto

½ cucharada de sal

1,2 dl de leche, 2 huevos duros

100 g de guisantes desgranados

50 g de salmón ahumado

2 aguacates maduros

1 cucharada de aceite de girasol

1 cucharada de zumo de limón y

1 cucharada de crema de leche

2 pizcas de mezcla de especias
para pescado · 50 g de mijo

1 pizca de pimienta blanca

1 cucharada de cebollino y
perejil picados

Receta integral

Por persona 1 695 kJ/405 kcal ·
11 g de proteínas · 32 g de grasas ·
17 g de hidratos de carbono

Tiempo de preparación: 30 min

Deje cocer tapado el mijo, la
sal y el agua, 10 minutos.
Añada la leche a los guisantes y
cueza 10 min. • Escurra la preparación en un tamiz. • Pele los
huevos duros y córtelos en rodajas, corte el salmón en tiras.
Parta los aguacates por la mitad,
quíteles el hueso y vacíelos un
poco más con una cuchara. Mezcle las rodajas de huevo, las tiras
de salmón y la pulpa de aguacate
con los ingredientes restantes. Rellene las mitades de aguacate con
la ensalada.

Cóctel primavera

En el centro de la foto

100 g de espinacas tiernas

1 escalonia, 150 g de gambas

200 g de requesón magro

100 g de petit suisse natural

1 dl de crema de leche

2 cucharaditas de salsa de soja

½ cucharadita de pimentón
dulce en polvo

2 cucharaditas de cebollino picado

1 manojo de rabanitos

Receta integral • Rápida

Por persona 1 085 kJ/260 kcal ·
17 g de proteínas · 18 g de grasas ·
6 g de hidratos de carbono

Tiempo de preparación: 15 min

Limpie las espinacas, quíteles
los tallos y tapice con ellas
cuatro copas de cóctel. • Pele la
escalonia, píquela y mézclela con
el requesón, el petit suisse, la crema de leche, las gambas, la salsa
de soja, el pimentón y 1 cucharada de cebollino. Vierta la mezcla
en las copas, adórnelas con los
rabanitos y el cebollino.

Bacalao con espinacas

A la derecha de la foto

200 g de espinacas, 1 tomate

250 g de filetes de bacalao

2 cucharadas de zumo de limón

1 pizca de pimienta

2 cucharadas de aceite de oliva

3 huevos duros

1 cucharada de salsa de soja

1 rebanada de pan de molde

1 cucharada de cebollino picado

Especialidad portuguesa

Por persona 835 kJ/200 kcal ·
19 g de proteínas · 10 g de grasas ·
7 g de hidratos de carbono

Tiempo de preparación: 30 min.

Limpie las espinacas y córtelas
en trozos. • Lave el pescado y
condiméntelo con 1 cucharada de
zumo de limón y la pimienta;
déjelo cocer tapado, con el aceite
y 1 cucharada de agua, 5 min. •
Dé la vuelta al pescado, cúbralo
con las espinacas y prosiga la cocción 5 min. • Desmenuce el pescado. Pele los huevos, córtelos en
rodajas, y reserve 4. Mezcle los
trozos de pescado con las rodajas
de huevo, la salsa de soja, el zumo de limón restante y las espinacas. • Adorne el plato con las rodajas de huevo restantes, los tomates cortados en gajos, triángulos de pan tostado y cebollino.
Sirva caliente.

Cócteles clásicos para ocasiones festivas

Si confía en los platos tradicionales, se decidirá por estos placeres para el paladar

Cóctel de gambas

A la izquierda de la foto

| 16 gambas grandes o langostinos |
| 4 hojas de lechuga |
| 125 g de mayonesa |
| 3-4 cucharadas de ketchup |
| 1-2 cucharadas de jerez fino |
| el zumo de ½ limón |
| 1 pizca de sal y de azúcar |
| ½ cucharadita de pimienta blanca |

Especialidad de los Estados Unidos

Por persona 940 kJ/225 kcal · 9 g de proteínas · 17 g de grasas · 9 g de hidratos de carbono

Tiempo de preparación: 15 min

Pele las gambas o langostinos. Seguidamente lávelos bajo el chorro del agua fría y séquelos. • Lave las hojas de lechuga, séquelas bien y tapice con ellas cuatro copas de cóctel. Mezcle la salsa mayonesa con los restantes ingre-

dientes y viértala en las copas. Ponga en cada una 4 gambas o langostinos con la cola saliendo por el borde y la cabeza metida en la salsa.

Cóctel de quisquillas

En el centro de la foto

| 24 quisquillas, 1 pizca de azúcar |
| 100 g de champiñones |
| el zumo de ½ limón |
| 1 pizca de sal y de pimienta blanca |
| 50 g de mayonesa |
| 1 cogollo de lechuga |
| 100 g de yemas de espárragos recién hervidos |

Receta famosa

Por persona 670 kJ/160 kcal · 18 g de proteínas · 8 g de grasas · 4 g de hidratos de carbono

Tiempo de preparación: 20 min

Pele las quisquillas, lávelas y déjelas escurrir. • Prepare los

champiñones, lávelos y córtelos en rodajas finas. Bata el zumo de limón con la sal, la pimienta, el azúcar y la mayonesa. Separe las hojas del cogollo de lechuga, lávelas, déjelas escurrir y córtelas en tiras. Mezcle las quisquillas, las yemas de espárrago y las tiras de lechuga con la salsa y los champiñones. • Distribuya el cóctel en cuatro copas.

Cóctel de langosta

A la derecha de la foto

| 1 langosta pequeña ultracongelada |
| ½ manojo de eneldo o perejil |
| el zumo de ½ limón |
| 50 g de mayonesa |
| 1 pizca de sal |
| ½ cucharadita de pimienta blanca recién molida |
| 1 pizca de azúcar |
| unas hojas de lechuga |
| 4 ramitas de eneldo · ½ limón |

Fácil • Coste medio

Por persona aproximadamente 630 kJ/150 kcal · 4 g de proteínas · 13 g de grasas · 3 g de hidratos de carbono

Tiempo de descongelación: 12 horas
Tiempo de preparación: 20 min

Saque la langosta del envoltorio y déjela descongelar en el frigorífico. • Extraiga la carne de la langosta y córtela en rodajas finas. Lave el eneldo o perejil, séquelo y píquelo. • Mezcle el zumo de limón con la mayonesa y condimente con la sal, la pimienta y el azúcar. • Mezcle las rodajas de langosta con la mayonesa y el eneldo. • Lave las hojas de lechuga, séquelas y tapice con ellas el fondo de una fuente de servicio. Ponga encima el cóctel de langosta, adórnelo con las ramitas de eneldo o perejil lavadas, rodajas de limón partidas por la mitad y las patas de la langosta.

Entradas para las grandes ocasiones

Ingredientes valiosos preparados cuidadosamente y servidos con elegancia

Salmón a la escandinava

«Gravad Laks»
A la izquierda de la foto

Ingredientes para 8 personas:
1 kg de salmón fresco
(a ser posible un trozo del centro)
1½ cucharadas de azúcar
2 cucharadas de sal gruesa
1 cucharadita de pimienta blanca recién molida
3 manojos de eneldo
1 limón

Especialidad sueca • Coste medio

Por persona aproximadamente
1 130 kJ/270 kcal · 25 g de proteínas · 17 g de grasas
· 4 g de hidratos de carbono

Tiempo de preparación:
20 minutos
Tiempo de marinada: mínimo
2 días

Parta por la mitad a lo largo el trozo de salmón fresco, elimine la espina central y, con unas pinzas, las espinas pequeñas laterales. Seque con papel de cocina los filetes de salmón. ● Mezcle el azúcar con la sal y ponga un poco de la preparación en una fuente honda rectangular, de cristal o porcelana, y disponga en ella un filete de salmón con la piel hacia abajo. Recubra el salmón abundantemente con la mezcla de azúcar y sal y muela la pimienta blanca por encima. Lave el eneldo, séquelo, píquelo finamente y échelo sobre el salmón. Ponga encima la otra mitad del salmón y recúbrala con la mezcla de sal y azúcar restante. Tape el salmón con papel de aluminio y ponga encima un objeto pesado (por ejemplo, una tabla con lata de conservas llena). ● Deje marinar el salmón durante 2 días por lo menos en un sitio fresco, dándole la vuelta con frecuencia. ● Para servir coloque el salmón con la piel hacia abajo sobre una tabla, elimine el eneldo y las especias y corte el salmón en lonchas sesgadas hacia la piel. Adórnelo con rodajas de limón. ● Acompañe con una salsa dulce de eneldo y mostaza hecha con 4 cucharadas de mostaza picante, 3 cucharadas de azúcar, 2 cucharadas de vinagre de vino, 5 cucharadas de aceite y 4 cucharadas de eneldo picado.

Trucha ahumada con crema de raiforte

A la derecha de la foto

350 g de apio
1 cucharada de zumo de limón
2 truchas ahumadas
1,2 dl de crema de leche
40 g de raiforte recién rallado
1 pizca de sal y de azúcar
1 limón

Rápido • Fácil

Por persona aproximadamente
2 215 kJ/530 kcal · 2 g de proteínas · 10 g de grasas ·
· 107 g de hidratos de carbono

Tiempo de preparación:
40 minutos

Elimine la raíz y las hojas verdes del apio, quítele las hebras y corte el apio en juliana muy fina. Ponga el apio en una fuente llana y rocíelo con el zumo de limón. ● Pele las truchas y filetéelas, eliminando hasta las espinas más finas. Corte los filetes por la mitad y colóquelos en forma de estrella sobre el apio. ● Bata la crema de leche hasta que espese, mézclela con el raiforte y sazone con la sal y el azúcar. Introduzca la crema obtenida en una manga pastelera provista de boquilla estrellada grande y adorne con ella los filetes de trucha. ● Lave el limón y séquelo. Corte el centro en rodajas finas y adorne con ellas los filetes de trucha.

Colas de langosta con melón

Un placer para el paladar en las ocasiones festivas

4 colas de langosta congeladas
de 200 g cada una

4 tomates

2 escalonias · 1 cebolla

1 tallo de apio

1 ramita de estragón fresco

1 melón pequeño

1 hoja de laurel

1 cucharada de cominos

1 cucharada de sal

1 chorrito de tabasco

2 yemas de huevo

1 pizca de sal

2 cucharadas de mostaza picante

4 cucharadas de aceite

4 cucharadas de coñac

1,2 dl de crema de leche

1 trozo pequeño de trufa

Elaborada

Por persona aproximadamente
1 880 kJ/450 kcal · 16 g de
proteínas · 24 g de grasas
· 35 g de hidratos de carbono

Tiempo de descongelación:
8 horas

Tiempo de cocción: 1 hora

Deje descongelar las colas de langosta en el frigorífico unas 8 horas. • Pele los tomates y córtelos en 8 trozos. Pele la cebolla y las escalonias y córtelas en dados. Lave el apio y el estragón y píquelos. Corte el melón por la mitad, dándole forma dentada, y elimine las pepitas. Extraiga la carne con el vaciador, mézclela con los tomates, el estragón y las escalonias y ponga a enfriar. Deje hervir durante 5 minutos la cebolla, el apio, la hoja de laurel, el comino, la sal y el tabasco con 1 l de agua. Sumerja las colas de langosta y déjelas cocer 5 minutos a fuego lento; déjelas enfriar dentro del caldo. • Bata las yemas de huevo con la sal y la mostaza. Añada el aceite gota a gota, 2 cucharadas de coñac y un poco del líquido de la trufa. Bata la crema hasta que espese e incorpórela. • Coloque la ensalada en los medios melones. Corte las colas de langosta por la mitad a lo largo. Desprenda la carne y colóquela en los caparazones; cubra éstos con rodajitas de trufa y rocíe con el coñac restante. Sirva con la mayonesa de mostaza.

Pequeñas exquisitices para mimar el paladar

Bocaditos picantes con huevas y crustáceos en nuevas combinaciones

Tosta de huevas al eneldo

A la izquierda de la foto

| 50 g de mantequilla ablandada |
| 1 pizca de sal marina |
| 2 cucharaditas de zumo de limón |
| 2 cucharadas de eneldo picado |
| 4 rebanadas de pan de molde integral · 100 g de requesón |
| 80 g de huevas de trucha o caviar |

Receta integral • Rápida

Por persona 1 130 kJ/270 kcal. · 4 g de proteínas · 22 g de grasas · 13 g de hidratos de carbono

Tiempo de preparación: 15 min

Bata el requesón, la mantequilla y la sal hasta obtener una crema espumosa y añádale el zumo de limón y el eneldo. • Tueste el pan y úntelo con esta pasta. • Corte las rebanadas en diagonal y cúbralas con el caviar.

Rodajas de sandía rellenas

A la derecha de la foto

| ½ sandía · 100 g de quisquillas |
| 1 cucharadita de pimienta rosa |
| 50 g de requesón |
| 50 g de petit suisse natural |
| ½ dl de crema de leche |
| 1 pizca de sal marina |
| 2 cucharaditas de zumo de limón |
| 1 cucharadita de miel |
| 1 cucharada de eneldo picado |
| 1 ramita de eneldo |

Receta integral • Rápida

Por persona 795 kJ/190 kcal. · 8 g de proteínas · 9 g de grasas · 17 g de hidratos de carbono

Tiempo de preparación: 15 min

Corte la sandía en cuatro rodajas y recorte un pequeño semicírculo de la pulpa. Separe la carne restante de la cáscara, a excepción del centro. • Machaque la pimienta y mézclela con el requesón, el petit suisse natural, la crema de leche, las especias y las puntitas de eneldo. • Rellene las rajas de sandía con esta mezcla y adórnelas con el eneldo y las quisquillas cocidas peladas.

Mousse de salmón

Aconsejamos la prepare antes de servirla

Gelatina de pescado y espárragos

Refrescante con verduras primaverales

Ingredientes para 6 personas:
500 g de filetes de salmón fresco
2 cucharadas de mantequilla
½ cucharadita de sal
2 pizcas de pimienta blanca recién molida
6 cucharadas de aceite de oliva
el zumo de 1 limón
4 cucharadas de jerez seco
1 pizca de sal y pimienta de Cayena
2 dl de crema de leche
2 ramitas de eneldo

Receta famosa

Por persona aproximadamente 1 595 kJ/350 kcal · 18 g de proteínas · 35 g de grasas · 3 g de hidratos de carbono

Lave el salmón y séquelo. • Deje ablandar la mantequilla en una sartén grande, hasta que esté espumosa. Salpimente el salmón y cuézalo en la sartén ½ minuto por lado aproximadamente.

Retírelo y envuélvalo en papel de aluminio todavía caliente y déjelo enfriar dentro del papel. • Tenga el resto de los ingredientes a temperatura ambiente. • Desespine los filetes fríos y córtelos en trozos pequeños. • Mezcle el aceite de oliva con el zumo de limón, la sal, el jerez y la pimienta de Cayena y triture la mezcla con los trozos de salmón. Pare de vez en cuando la batidora para que no se caliente demasiado y déjela reposar un poco. • Bata la crema y mézclela con la mousse. Vierta la mousse en una terrina o molde mojada con agua fría y déjela cuajar y enfriar en la nevera. • Vuelque la mousse en una fuente, córtela en rodajas y sírvala con ramitas de eneldo.

250 g de espárragos
100 g de guisantes desgranados
¼ l de agua
4 cucharaditas de cubito de caldo de verduras
2 pizcas de pimienta blanca recién molida
200 g de filetes de gallineta
3 cucharadas de zumo de limón
1 huevo duro
2 pizcas de mezcla de especias para pescado
2 cucharaditas de eneldo picado fino
1 cucharadita de agar-agar (gelatina de algas)

Fácil

Por persona aproximadamente 480 kJ/115 kcal · 13 g de proteínas · 4 g de grasas · 6 g de hidratos de carbono

Tiempo de cocción: 1 hora

Lave los espárragos, pélelòs de la punta hacia abajo, córtelos en trozos de 2 cm y póngalos a cocer junto con los guisantes, el agua, 2 cucharadas de cubito de caldo de verduras y la pimienta. Lave el filete de pescado y rocíelo con 1 cucharada de zumo de limón; colóquelo sobre las verduras y deje cocer a fuego lento durante 10 minutos. • Saque el pescado y la verdura con una espumadera del recipiente. Desmenuce el pescado y mézclelo cuidadosamente con las verduras; póngalo en cuatro cuencos de cristal o platos. Pele el huevo, córtelo en ocho partes y ponga dos trozos en cada cuenco o plato. • Condimente el caldo de verduras y pescado con el zumo de limón, el caldo de cubito restante y la mezcla de especias. Añada las puntas de eneldo. Vierta lentamente el agar-agar removiendo con la batidora de varillas. Caliente el caldo durante 10 minutos, tapado y sin dejarlo hervir. Repártalo después sobre los ingredientes de los platos y déjelo enfriar.

Vieiras gratinadas

¡Conserve las conchas para servir otras entradas!

Gambas con mantequilla de ajo

Prepare este plato con gambas frescas

4 vieiras frescas

1 escalonia · 50 g de espinacas

100 g de champiñones

50 g de mantequilla

1,2 dl de vino blanco

4 cucharadas de crema de leche espesa

1 pizca de sal

4 cucharadas de pan rallado

2 cucharadas de queso recién rallado

2 cucharadas de mantequilla

Elaborada • Coste medio

Por persona aproximadamente 2 070 kJ/495 kcal · 35 g de proteínas · 29 g de grasas · 17 g de hidratos de carbono

Tiempo de cocción: 1 hora

Abra las conchas de vieiras, extraiga la carne blanca y el músculo color naranja y lávelos ligeramente. Limpie las conchas y hiérvalas unos minutos. • Pele la escalonia y píquela finamente. • Lave cuidadosamente las espinacas, déjelas escurrir bien y píquelas también. Prepare los champiñones, lávelos, séquelos y córtelos en rodajas finas. • Caliente la mantequilla y sofría un momento en ella la carne de las vieiras y los músculos, después sáquelos y consérvelos al calor. Dore los dados de escalonia en la mantequilla. Añada las espinacas y los champiñones y prosiga la cocción 5 minutos. • Añada el vino y la crema de leche, lleve a ebullición un momento y sazone a continuación. Vuelva a añadir la carne y los músculos de las vieiras y caliente brevemente. Precaliente el horno a 220°. • Distribuya el guiso en las conchas. Mezcle el pan rallado con el queso y espolvoree con ello las vieiras, luego reparta por encima la mantequilla en copitos. • Gratine en la parte superior del horno durante 10 minutos, o hasta que se haya formado una costra dorada.

2 dientes de ajo

1 pizca de sal

1 manojo de perejil

125 g de mantequilla ablandada

1 pizca de pimienta negra recién molida

½ cucharadita de zumo de limón

12 gambas

1 limón pequeño

Rápida

Por persona aproximadamente 1 695 kJ/405 kcal · 32 g de proteínas · 30 g de grasas · 2 g de hidratos de carbono

Tiempo de preparación: 15 minutos

Tiempo de cocción: 15 minutos

Pele los dientes de ajo y macháquelos junto con la sal. Lave el perejil, séquelo y píquelo finamente; reserve la mitad. Mezcle la mantequilla con el ajo, el perejil picado, la pimienta y el zumo de limón. • Unte con la mitad de esta mezcla una fuente o cazuelitas refractarias. Precaliente el horno a 240°. • Lave cuidadosamente las gambas y quíteles las cabezas. Extraiga, si lo desea, el cordón intestinal. Seque las gambas y póngalas en la fuente o cazuelitas, una junto a otra. Reparta la mantequilla con el perejil restante por encima. • Ponga la fuente de 10 a 15 minutos en el centro del horno hasta que la carne de las gambas esté de un color rojo claro. • Lave el limón, séquelo, córtelo en rodajas y pártalas por la mitad. Sirva las gambas adornadas con el perejil restante y las rodajas de limón. • Aconsejamos sirva este plato con picatostes recién fritos y un vino blanco seco bien frío.

Variaciones con ostras para los entendidos

Los amantes de las ostras no sólo las aprecian al natural, sino también cocinadas

Ostras empanadas

A la izquierda de la foto

| 48 ostras frescas |
| ½ manojo de perejil |
| 4 cucharadas de pan rallado |
| 1 pizca de pimienta blanca |
| 1 yema de huevo |
| 4 cucharadas de harina |
| unas hojas de lechuga |
| 1 limón |
| Para freír: 1 l de aceite |

Elaborada

Por persona aproximadamente
3 260 kJ/780 kcal · 59 g de
proteínas · 33 g de grasas · 58 g
de hidratos de carbono

Tiempo de cocción: 50 minutos

Abra las ostras, extraiga la carne con la punta de un cuchillo y séquelas. • Lave el perejil, séquelo, píquelo finamente y mézclelo con el pan rallado y la pimienta. Bata la yema de huevo. • Pase las ostras primero por la harina, luego por la yema de huevo y, finalmente, por el pan rallado. • Caliente el aceite en una freidora. Fría las ostras por tandas unos 2 minutos y resérvelas al calor. Sírvalas sobre hojas de lechuga, adornadas con las rodajas de limón.

Nuestra sugerencia: En lugar de ostras puede utilizar mejillones frescos abiertos al vapor.

Cazuelitas de ostras y espinacas

A la derecha de la foto

| 500 g de espinacas pequeñas |
| 1 cebolla y 1 diente de ajo |
| 30 g de mantequilla |
| 1 pizca de sal, pimienta blanca y nuez moscada recién molida |
| 16 ostras frescas |
| 2 cucharadas de petit suisse natural |
| 2 cucharadas de crema de leche |
| 1 pizca de pimienta de Cayena |
| 1 cucharada de queso de oveja seco rallado |
| Para untar las cazuelitas: mantequilla |

Fácil

Por persona aproximadamente
1 235 kJ/295 kcal · 26 g de
proteínas · 14 g de grasas · 16 g
de hidratos de carbono

Tiempo de cocción: 40 minutos

Lave las espinacas. Pele la cebolla y el diente de ajo, píquelos y dórelos en la mantequilla. Agregue las espinadas y deje que se sofrían. Condimente con las especias. • Precaliente el horno a 250° o el grill. • Unte cuatro moldecitos refractarios con mantequilla y rellénelos con las espinacas escurridas. Abra las ostras y distribúyalas en los moldes junto con su líquido. • Bata el petit suisse natural con la crema de leche, la sal, la pimienta de Cayena y el queso; esparza esta mezcla sobre las ostras y gratínelas.

Ostras Kilpatrick

En el centro de la foto

| 75 g de tocino magro entreverado |
| 24 ostras frescas |
| un chorrito de salsa de Worcester |
| 1 limón |

Especialidad australiana

Por persona aproximadamente
870 kJ/205 kcal · 27 g de
proteínas · 4 g de grasas · 16 g
de hidratos de carbono

Tiempo de cocción: 20 minutos

Corte el tocino en tiras finas. Abra las ostras por la parte picuda con el abridor de ostras o con un cuchillo resistente. • Precaliente el grill a 250°. • Ponga las ostras sobre una placa de hornear. Coloque encima las tiras de tocino y rocíe con salsa Worcester. Déjelas brevemente en el horno hasta que el tocino esté crujiente. • Adorne con el limón cortado en ocho trozos.

Pequeños placeres de la mesa con caviar

Elija la clase de caviar que desee, nosotros nos limitamos a sugerir

Blinis con esturión y caviar

A la izquierda de la foto

125 g de harina · 2 huevos
15 g de levadura de panadero
125 g de harina de trigo sarraceno
1 pizca de azúcar
1 pizca de sal · 1,2 dl de leche
1,2 dl de crema de leche
2 huevos
200 g de lonchas de esturión ahumado
4 cucharaditas de caviar
½ manojo de eneldo
1 limón sin exprimir
Para freír: aceite

Especialidad rusa

Por persona 2 340 kJ/560 kcal ·
26 g de proteínas · 31 g de grasas
· 49 g de hidratos de carbono

Tiempo de cocción: 1¼ horas

Ponga la harina en un cuenco y haga un hueco en el centro. Desmenuce en él la levadura y mézclela con 2 cucharadas de agua templada. Deje fermentar la masa de levadura 10 min en un lugar templado. ● Mezcle la harina de trigo sarraceno, el huevo, el azúcar y la sal con la masa de levadura. Amase hasta que esté lisa y déjela fermentar 20 min. ● Caliente un poco de leche y añádala a la masa con la crema de leche. Separe las claras de las yemas. Incorpore las yemas a la masa. Bata las claras a punto de nieve e incorpórelas a la masa. ● Caliente un poco de aceite en una sartén pequeña y fría con los blinis, como si se tratara de crêpes. ● Mantenga los blinis calientes hasta que todos estén fritos. Después cúbralos con el esturión y el caviar. Lave el eneldo y séquelo. Lave el limón y córtelo en rodajas. Adorne con ello los blinis. ● Le recomendamos los acompañe con vodka bien frío.

Tortitas de patata con caviar-Keta

A la derecha de la foto

1 kg de patatas
1 cebolla
1 cucharadita de sal
1 huevo
2 cucharadas de harina
8 cucharadas de aceite
1 manojo de eneldo
75 g de petit suisse natural
½ dl de crema de leche
100 g de caviar Keta (de trucha)

Coste medio

Por persona aproximadamente
2 175 kJ/520 kcal · 12 g de
proteínas · 35 g de grasas · 47 g
de hidratos de carbono

Tiempo de cocción: 1 hora

Pele las patatas, lávelas y rállelas. Pele la cebolla, rállela y mézclela con las patatas junto con el huevo, la sal y la harina. ● Cueza a fuego lento en una sartén con el aceite unas 18 tortitas; tome la mezcla a cucharadas y fríala por ambos lados. Deje escurrir las tortitas bien doradas sobre papel absorbente y resérvelas al calor. ● Lave el eneldo, séquelo y píquelo finamente. Bata el petit suisse con la crema y mezcle con las puntas de eneldo, si fuera necesario sazone. ● Ponga sobre cada tortita un montoncito de crema de eneldo y distribuya el caviar por encima.

Nuestra sugerencia: Las tortitas de patata resultarán un poco menos ricas si en lugar del petit suisse se utiliza yogur natural para la crema de eneldo.

Langostas bien presentadas

La oferta de langosta congelada anima a probar estos platos

Langosta gratinada

A la izquierda de la foto

2 langostas congeladas de 500 g
cada una ·4 escalonias

200 g de champiñones

3,5 dl de crema de leche

100 g de mantequilla

2 cucharaditas de harina

2 cucharadas de aceite de oliva

1 pizca de pimienta blanca

1 manojo de eneldo

50 g de queso de Emmental
rallado · 1 cucharadita de sal

3 cucharadas de pan rallado

Receta famosa • Elaborada

Por persona 1 610 kJ/385 kcal ·
23 g de proteínas · 26 g de grasas
· 13 g de hidratos de carbono

Tiempo de descongelación:
10 horas

Tiempo de cocción: 1 hora

Deje descongelar las langostas en el frigorífico unas 10 horas. • Corte las langostas por la mitad. Extraiga la carne y córtela en dados de 3 cm. • Pele las escalonias y píquelas finamente. Prepare los champiñones, lávelos, córtelos en rodajitas finas y déjelos cocer junto con las escalonias y la crema de leche hasta reducir el líquido a un tercio. Amase 30 g de mantequilla con la harina. • Caliente el aceite en una sartén, añada 50 g de mantequilla y la carne de langosta, salpimente y sofría 2 minutos. Precaliente el horno a 220°. • Lave el eneldo, escúrralo, píquelo finamente y añádalo a la salsa con la mezcla de mantequilla y harina; déjela cocer 2 minutos, condiméntela y mézclela con la carne de langosta. Rellene los medios caparazones con guiso de langosta, espolvoree con el queso y el pan rallado y esparza la mantequilla restante en copitos. • Deje gratinar de 10 a 15 minutos en el horno.

Langosta con salsa de mostaza

A la derecha de la foto

2 langostas congeladas de 500 g
cada una · 4 escalonias

2 cucharaditas de pimentón
dulce · 1 cucharadita de sal

2 cucharadas de aceite de oliva

100 g de mantequilla

4 cucharadas de coñac

4 cucharadas de jerez fino

3,5 dl de crema de leche

2 cucharaditas de mostaza de
Dijón · El zumo de ½ limón

1 pizca de pimienta de Cayena

2 yemas de huevo

unas hojas de albahaca

Especialidad francesa

Por persona 2 760 kJ/660 kcal ·
43 g de proteínas · 45 g de grasas
· 7 g de hidratos de carbono

Tiempo de descongelación: 10 h

Deje descongelar las langostas en el frigorífico unas 10 h. • Quite las patas de las langostas y ábralas por la mitad con una hachuela. Corte los cuerpos por la mitad a lo largo en dirección a la cola. Elimine la membrana ósea y las agallas. Extraiga la carne de las langostas de sus caparazones y pinzas; sálela y espolvoréela con pimentón. Pele las escalonias y píquelas. • Caliente en una sartén el aceite junto con la mantequilla y dore los trozos de langosta 5 min. Añada el último minuto la escalonia. Vierta luego el coñac y el jerez; deje cocer 1 min más a fuego lento. Saque los trozos de langosta de la sartén y consérvelos al calor. • Añada la crema de leche y deje que hierva, hasta que se reduzca a la mitad. • Bata el zumo de limón con la mostaza, la pimienta de Cayena y las yemas de huevo, y mezcle la salsa de crema de leche; sazónela. • Cubra la carne de langosta con esta salsa y adórnela con la albahaca.

Platos de pescado exquisitos

Las comidas ligeras a base de pescado, las cazuelas de pescado sustanciosas y los pescados grandes hervidos en besuguera o asados al horno, aportan una gran variedad a nuestros menús.

Filetes de bacalao empanados con guarnición

Sencillo, rápido y sabroso

Filetes de pescado a la florentina

Filetes de pescado escalfados con espinacas, un plato para sibaritas

4 filetes de bacalao (800 g)
el zumo de 1 limón
2 cucharaditas de mostaza
½ cucharadita de sal
3 cucharadas de harina
1 huevo
4 cucharadas de pan rallado
5 cucharadas de mantequilla
400 g de tomates
½ cucharadita de sal y de pimienta negra recién molida
500 g de brécoles
1 cebolla · 1 limón
2 cucharadas de zumo de limón

Fácil • Económica

Por persona aproximadamente 1 775 kJ/425 kcal · 43 g de proteínas · 18 g de grasas · 22 g de hidratos de carbono

Tiempo de cocción: 30 minutos

Lave los filetes de pescado bajo el chorro de agua fría, séquelos, rocíelos con el zumo de limón y déjelos reposar unos minutos. Después séquelos, úntelos con la mostaza y sálelos. Páselos uno por uno por la harina, el huevo batido y, finalmente, por el pan rallado. Fría los filetes empanados en 2 cucharadas de mantequilla, 5 minutos por ambos lados y colóquelos en una fuente precalentada, que reservará al calor. • Haga una incisión en forma de cruz a los tomates, pínchelos con un tenedor, escáldelos en agua hirviendo, pélelos y elimine los pedúnculos. • Caliente 1 cucharada de mantequilla en una cacerola con los tomates, salpiméntelos y esparza por encima 1 cucharada de mantequilla en copitos. Déjelos cocer durante 10 minutos. • Prepare los brécoles y límpielos, corte un poco los tallos. Pele la cebolla, píquela finamente y dórela en la mantequilla restante. Añádale los brécoles, sale ligeramente y déjelos cocer con 1,5 dl de agua y el zumo de limón 10 minutos a fuego lento. • Coloque las verduras en la fuente con el pescado y adorne con el limón.

750 g de espinacas pequeñas
2 cebollas
1 limón
100 g de queso mantecoso para fundir
1,2 dl de vino blanco
1 hoja de laurel
½ manojo de perejil
800 g de filetes de gallineta
2 cucharadas de aceite
½ cucharadita de sal
1 pizca de pimienta blanca recién molida y de nuez moscada recién rallada
Para la fuente: mantequilla

Especialidad italiana

Por persona aproximadamente 1 965 kJ/470 kcal · 50 g de proteínas · 22 g de grasas · 11 g de hidratos de carbono

Tiempo de cocción: 1¼ horas

Prepare las espinacas, elimine los tallos y lávelos varias veces a fondo. Pele las cebollas y píquelas finamene. Lave el limón y córtelo en rodajas finas. Ralle el queso. • Ponga a hervir en una cacerola ancha el vino, la hoja de laurel y el perejil lavado. Lave los filetes de pescado y déjelos escalfar en el líquido, a fuego lento y tapados 15 minutos. • Precaliente el horno a 220°. Unte una fuente refractaria con mantequilla. • Dore las cebollas en el aceite. Añada las espinacas sin escurrirles el agua; condimente con la sal, pimienta y nuez moscada y deje rehogar durante 10 minutos con el recipiente tapado. Escurra las espinacas en un colador, recogiendo su jugo. Coloque el pescado en capas, alternándolas con las espinacas en la fuente. • Añada el jugo de las espinacas al caldo de pescado. Hierva a fuego vivo hasta que el líquido se reduzca a la mitad y viértalo sobre el pescado. Ponga encima las rodajas de limón y espolvoree con el queso. • Deje hornear el pescado de 7 a 10 minutos.

Rollitos de pescado con salsa de hierbas

Los filetes de pescado y las hierbas aromáticas se complementan extraordinariamente

500 g de filetes platija o lenguado pequeños
3 cucharadas de zumo de limón
2 cucharaditas de sal de hierbas
3 cucharaditas de toronjil, eneldo y perejil o perifollo finamente picados
40 g de mantequilla
1 hinojo (250 g)
1,2 dl de agua y 1,2 dl de vino blanco
1 cucharadita de cubito de caldo de verduras
4 cucharadas de arroz integral finamente molido
1 dl de crema de leche

Receta integral • Elaborada

Por persona aproximadamente 1 570 kJ/375 kcal · 24 g de proteínas · 21 g de grasas · 15 g de hidratos de carbono

Tiempo de cocción: 30 minutos

Lave los filetes de pescado, séquelos y rocíelos por ambos lados con 2 cucharadas de zumo de limón, sazónelos con un poco de sal de hierbas. Reparta tres cuartas partes de la mezcla de hierbas sobre los filetes de pescado y ponga encima de cada uno un copito de mantequilla. Enrolle los filetes y sujételos con palillos. • Prepare el hinojo, divídalo en cuatro trozos y córtelo a lo largo en tiras finas; póngalo luego a dorar en la mantequilla restante de 2 a 3 minutos a fuego lento. Añada después el agua, el vino y el caldo de cubitos y deje cocer con el recipiente tapado 10 minutos. • Añada, removiendo, el arroz molido. Incorpore los rollitos de pescado y déjelos cocer a fuego muy lento 7 minutos. • Bata la crema de leche con el zumo de limón y las hierbas restantes. Retire el recipiente del fuego. • Coloque los rollitos de pescado en una fuente precalentada. Agregue a la salsa la crema de leche, sazónela con la sal de hierbas y viértala sobre los rollitos. • Le recomendamos servir este plato con puré de patatas y ensalada de lechuga.

Nuestra sugerencia: Puede moler el arroz en una picadora eléctrica o molinillo.

Especialidades con calamares

Deliciosas especialidades tanto con calamares frescos como congelados

Calamares con tomates

Abajo de la foto

750 g de calamares pequeños congelados

3 cebollas · 2 dientes de ajo

1 bulbo de hinojo

1 zanahoria pequeña

4 cucharadas de aceite de oliva

100 g de mantequilla

1 cucharadita de sal

1 pizca de pimienta blanca recién molida · 4 cucharadas de coñac

4 tomates grandes carnosos

1 cucharadita de tomillo picado

Especialidad italiana ·
Elaborada

Por persona aproximadamente
2 110 kJ/505 kcal · 32 g de proteínas · 33 g de grasas · 15 g de hidratos de carbono

Tiempo de descongelación:

1½ horas aproximadamente
Tiempo de cocción: 1 hora

Saque los calamares de su envoltorio y déjelos descongelar, tapados, en el frigorífico 1½ h; lávelos y séquelos. Pele las cebollas y los dientes de ajo. Prepare el hinojo, raspe la zanahoria y pique la verdura. • Caliente el aceite en una cazuela; incorpore en seguida la mitad de la mantequilla y los calamares, salpiméntelos y déjelos sofreír 5 min. Vierta el coñac sobre los calamares y retírelos del fuego. • Derrita en otro recipiente la mantequilla restante y rehogue las verduras picadas tapadas durante 10 min. Pele los tomates, córtelos en ocho trozos, elimine los pedúnculos y añádalos a los calamares con el tomillo y las verduras rehogadas. • Deje proseguir la cocción, con el recipiente tapado, de 20 a 25 min, según el tamaño de los calamares. • Le recomendamos acompañar este plato con arroz hervido o picatostes.

Calamares a la romana

Arriba de la foto

500 g de calamares congelados

1 pizca de pimienta negra

el zumo de 1 limón

1 cucharadita de tomillo picado

1 cucharada de aceite de oliva

150 g de harina

½ cucharadita de levadura en polvo · 1 limón

1 dl de vino blanco seco

½ cucharadita de sal

Para freír: 1 l de aceite

Fácil · Elaborada

Por persona 2 195 kJ/525 kcal ·
26 g de proteínas · 31 g de grasas
· 21 g de hidratos de carbono

Tiempo de congelación: 1½ h

Deje descongelar los calamares 1½ h aproximadamente.

• Lávelos con agua fría, séquelos y córtelos en anillos. Mézclelos con la pimienta, el zumo de limón, el tomillo y el aceite de oliva y déjelos reposar, tapados, 30 min a temperatura ambiente. • Tamice la harina sobre un cuenco y mézclela con la levadura en polvo. Separe las claras de las yemas. Bata las yemas, el vino y la sal con la harina. Bata luego las claras a punto de nieve y mézclelas con la masa para freír; dejándolo reposar tapado 15 min. • Caliente el aceite en una freidora a 175°. Pase los anillos de calamar con un tenedor por la pasta para freír y fríalos por tandas en el aceite caliente hasta que estén bien doraditos. • Deje escurrir los calamares rebozados sobre un papel absorbente y consérvelos al calor. • Ponga los calamares a la romana en una fuente y adórnelos con rodajas de limón. • Puede acompañarlos con cualquier ensalada.

Quisquillas al curry

Un plato ligero, de gusto interesante y muy especial

1 cebolla mediana
1 diente de ajo
3 cucharadas de mantequilla
1-2 cucharadas de harina
2 cucharaditas de curry de Madrás en polvo
¼ l de caldo caliente de ave
¼ l de agua
1 plátano pequeño
4 cucharadas de crema de leche
1 pizca de sal
1 pizca de pimienta blanca recién molida
1 pizca de jengibre en polvo
½-1 cucharadita de zumo de limón
400 g de quisquillas o gambas
2 cucharadas de almendras fileteadas

Especialidad india

Por persona aproximadamente
1 150 kJ/275 kcal · 19 g de
proteínas · 16 g de grasas · 14 g
de hidratos de carbono

Tiempo de cocción: 30 min

Pele la cebolla y el diente de ajo, píquelos finamente y dórelos en la mantequilla. Añada la harina y el curry, remueva y vierta el caldo de ave y el agua. Deje cocer la salsa lentamente 5 minutos. • Pele el plátano, aplástelo con un tenedor y mézclele con la salsa. Incorpórele la crema de leche y condimente con la sal, la pimienta, el jengibre y el zumo de limón. • Pele las quisquillas, quíteles el cordón intestinal, lávelas con agua fría, séquelas con papel de cocina y agréguelas a la salsa. • Tueste las almendras en una sartén seca. Viértalas sobre el curry y sírvalo en seguida. • Acompáñelo con arroz frito con mantequilla, pan y ensalada fresca.

Fricasé de pescado

Pepino, cebolla y pescado: una combinación acertada

3 cebollas
50 g de mantequilla
600 g de pepinos
2 cucharaditas de sal de hierbas
2 pizcas de pimienta blanca recién molida
500 g de filetes de merluza o bacalao
3 cucharadas de zumo de limón
1 dl de crema de leche
2 cucharadas de harina de trigo integral
1 cucharadita de mezcla de especias para pescado
½ cucharadita de curry en polvo
1 cucharada de perejil finamente picado
1 cucharadita de albahaca cortada en tiras

Receta integral • Fácil

Por persona aproximadamente
1 400 kJ/335 kcal · 25 g de
proteínas · 19 g de grasas · 15 g
de hidratos de carbono

Tiempo de cocción: 30 minutos

Pele las cebollas y píquelas groseramente. Caliente la mantequilla en una cazuela grande. Dore en ella las cebollas a fuego lento. • Pele los pepinos, córtelos en dados, añádalos a las cebollas y espolvoréelos con 1 cucharadita de sal de hierbas y 1 pizca de pimienta. Rehogue la verdura 10 minutos. • Lave los filetes de pescado, séquelos y rocíelos con 1 cucharada de zumo de limón y la pimienta restante. Corte el pescado en dados grandes, póngalo sobre la verdura y déjelo cocer de 5 a 7 minutos a fuego lento. • Bata la crema de leche con la harina y las especias para pescado o el curry. Ligue con ella el fricasé y prosiga la cocción otro minuto. Mezcle cuidadosamente las hierbas con el fricasé, condiméntelo con un poco de sal de hierbas, el zumo de limón restante y, si lo desea, con mezcla de especias para pescado. • Aconsejamos acompañe este plato con puré de patatas o arroz integral.

Filetes de arenques con judías verdes

Una comida sustanciosa muy apreciada

8 filetes de arenques «matjes»
(ligeramente salados)
750 g de judías verdes
¾ l de agua
1 cucharadita de sal
1 manojo de ajedrea de jardín
100 g de tocino entreverado
1 manojo de perejil
6 cebollas

Rápida • Fácil

Por persona aproximadamente
2 425 kJ/580 kcal · 22 g de
proteínas · 45 g de grasas · 21 g
de hidratos de carbono

Tiempo de cocción: 50 minutos

Ponga a desalar los filetes de
arenque de 20 a 30 minutos,
según su contenido en sal. • Lave
las judías y quíteles las hebras.
Ponga a hervir el agua con la sal.
Deje cocer las judías con la ajedrea durante 15 minutos. • Corte
el tocino en dados pequeños. Escurra el caldo de cocción de las
judías (utilícelo quizás para otro
plato) y conserve éstas al calor.
Lave el perejil, séquelo, píquelo
finamente y mézclelo con las judías. Ponga a dorar en una sartén
los dados de tocino, removiéndo-
los hasta que estén crujientes. Pele las cebollas, pique 3 y dórelas
en la grasa del tocino. Corte el
resto de las cebollas en rodajitas
muy finas. • Seque los filetes de
arenque. Ponga unos cubitos de
hielo en una fuente y coloque encima los filetes de arenque, ador-
nándolos con los aros de cebolla.
Acompañe con las judías verdes
calientes y la mezcla de tocino y
cebolla. • Aconsejamos que
acompañe este plato con patatitas
nuevas.

Rodajas de halibut con salsa de alcaparras

Pescado y salsa de alcaparras, una combinación con mucha solera

4 rodajas de halibut de 200 g
cada una
el zumo de 1 limón
¼ l de agua y de vino blanco
1 cucharada de vinagre
½ cucharada de sal
1 cebolla
4 granos de pimienta y pimienta
de Jamaica
1 hoja de laurel
2 cucharadas de harina
2 cucharadas de mantequilla
1 cucharada de alcaparras
1 pizca de sal y de azúcar
1 yema de huevo
2 cucharadas de crema de leche
½ limón

Fácil

Por persona aproximadamente
1 485 kJ/355 kcal · 41 g de
proteínas · 14 g de grasas · 6 g
de hidratos de carbono

Tiempo de preparación:
15 minutos
Tiempo de cocción: 30 minutos

Lave las rodajas de pescado,
séquelas, rocíelas con el zumo
de limón y déjelas reposar 10 minutos. • Ponga a hervir en una
cacerola ancha el agua con el vino, el vinagre, la sal, la cebolla
pelada, los granos de pimienta y
la hoja de laurel 5 minutos. Deje
escalfar el pescado en este caldo
15 minutos a fuego lento. • Ponga el pescado en una fuente de
servicio precalentada y pase el
caldo por un colador. • Derrita la
mantequilla en un cazo y dore en
ella la harina, removiendo sin cesar, vierta luego el caldo de pescado poco a poco. Deje dar un
hervor a la salsa. • Añádale alcaparras y condimente con la sal y
el azúcar. Bata la yema de huevo
con la crema de leche, añádale 2
cucharadas de la salsa caliente y
ligue la salsa con ello, retire entonces el cazo del fuego. • Lave
el limón y córtelo en rodajas.
Vierta la salsa sobre el pescado y
adórnelo con rodajas de limón.

Rollitos de pescado con salsas especiales

El delicado sabor propio del pescado permite toda clase de variantes

Rollitos de pescado con aros de manzana

A la izquierda de la foto

750 g de filetes de pescado (merluza o bacalao) muy finos

el zumo de 1 limón · 2 manzanas

1 pizca de sal y de pimienta

2 cucharadas de crema de leche agria · 1 cebolla

4 cucharadas de perejil picado

2 cucharadas de mantequilla

2 cucharadas de harina

½-1 cucharada de curry en polvo · ½ l pizca de sal y de azúcar

½ l de caldo de verduras caliente

1 cucharada de pan rallado

1 cucharada de mantequilla

Fácil

Por persona 1 420 kJ/340 kcal · 34 g de proteínas · 12 g de grasas · 23 g de hidratos de carbono

Tiempo de cocción: 40 minutos

Lave los filetes de pescado, séquelos y déjelos reposar tras rociarlos con limón. Salpiméntelos, úntelos con la crema de leche agria y espolvoree sobre ellos el perejil. Enrolle los filetes y sujételos con palillos. • Pele la cebolla, píquela y dórela en la mantequilla. Añada, removiendo, la harina y el curry y vierta sobre ello el caldo de verduras. Dé un hervor a la salsa y sazónela con sal y azúcar. Deje escalfar los rollitos en la salsa 15 min a fuego lento. • Pele las manzanas, corte 4 rodajas gruesas del centro de cada una y extraiga el corazón. Pase las rodajas de manzana por el pan rallado, fríalas en la mantequilla hasta que estén casi blandas y consérvelas al calor en una fuente. • Agregue los rollitos de pescado con las rodajas de manzana y cúbralo todo con la salsa. • Aconsejamos que acompañe este plato con flanes de arroz blanco.

Rollitos de pescado con salsa de tomate

A la derecha de la foto

750 g de filetes de pescado (merluza, bacalao o gallineta) en 8 filetes muy finos

el zumo de 1 limón

40 g de tocino entreverado en lonchas finas

2 cebollas

1 manojo pequeño de perejil

1 cucharada de mostaza

2 cucharadas de mantequilla

2 cucharadas de tomate concentrado

¼ l de caldo de verduras caliente

1 pizca de sal, de pimienta blanca recién molida y de azúcar

50 g de petit suisse natural

½ dl de crema de leche

unas hojas de albahaca

Elaborada

Por persona aproximadamente 1 525 kJ/365 kcal · 36 g de proteínas · 21 g de grasas · 8 g de hidratos de carbono

Tiempo de cocción: 1 hora

Lave los filetes, séquelos y rocíelos con el zumo de limón. • Corte las lonchas de tocino por la mitad a lo largo y fríalas en la sartén. Pele las cebollas y píquelas finamente. Lave el perejil, séquelo y píquelo también. • Unte los filetes de pescado con la mostaza, cúbralos con la cebolla y el perejil y tápelos con las tiras de tocino. Enrolle los filetes y sujételos con palillos. • Caliente la mantequilla. Añádale el tomate concentrado y el caldo de verduras. Deje cocer la salsa un instante, sazónela con la sal, la pimienta y el azúcar y alárguela con el petit suisse y la crema. • Deje cocer los rollitos de pescado en la salsa 15 minutos. Adorne con tiras de albahaca.

53

Filetes de platija con arroz integral

Descubra el arroz integral, tan sano para su cocina

200 g de arroz integral de grano largo
½ l de agua
1 cucharada de cubitos de caldo de verduras
1 cucharadita de mezcla de especias para pescado
500 g de pepinos
2 pizcas de pimienta blanca recién molida
2 dl de crema de leche
3 cucharadas de zumo de limón
1 huevo
2 cucharadas de eneldo o perejil finamente picado
500 g de filetes de platija
1 limón
1 tomate

Receta integral • Elaborada

Por persona aproximadamente 2 050 kJ/490 kcal · 30 g de proteínas · 19 g de grasas · 43 g de hidratos de carbono

Tiempo de cocción: 45 minutos

Deje cocer el arroz en una sartén grande con el agua, el caldo de verduras y la mezcla de especias 15 minutos a fuego lento. Pele los pepinos y córtelos en dados, distribúyalos después sobre el arroz y condimente con 1 pizca de pimienta. Prosiga la cocción 15 minutos con el recipiente tapado. • Bata la crema de leche con 2 cucharadas de zumo de limón, el huevo y 1 cucharada de eneldo o perejil. • Lave el pescado, espolvoréelo con la pimienta restante y distribúyalo sobre el arroz con pepinos. Vierta la crema y deje cocer a fuego lento otros 10 minutos. • Retire la sartén del fuego. Espolvoree el pescado con el eneldo o perejil y rocíelo con el zumo de limón restante. • Lave el limón y el tomate, séquelos, córtelos en trozos o en rodajas y adorne con ellos la sartén.

Nuestra sugerencia: En lugar de pepinos, puede emplear dados de calabacín sin pelar.

Truchas preparadas a la clásica

Imposibles de superar aún por las recetas más refinadas

Truchas «au bleu»

A la izquierda de la foto

4 truchas recién pescadas
1 cucharadita de sal
1,2 dl de vinagre
3 l de agua
2 cucharaditas de sal
1,2 dl de vino blanco seco
125 g de mantequilla
1 limón
1 manojo pequeño de perejil

Rápida • Elaborada

Por persona aproximadamente
2 155 kJ/515 kcal · 49 g de
proteínas · 32 g de grasas · 2 g
de hidratos de carbono

Tiempo de preparación:
20 minutos
Tiempo de cocción:
10-15 minutos

Lave y vacíe cuidadosamente las truchas bajo el chorro del agua fría, teniendo cuidado de que la mucosa gelatinosa exterior no se lesione. Seque las truchas por dentro con papel de cocina y frótelas con la sal. Ate los pescados pasando hilo de cocina con una aguja grande a través de la mandíbula inferior y la aleta caudal. • Caliente el vinagre y rocíe con él las truchas colocadas en una fuente. Lleve a ebullición el agua con la sal y el vino en una besuguera o cualquier otro recipiente grande y deje cocer las truchas de 10 a 15 minutos a fuego lento, según tamaño. Los pescados estarán cocidos cuando pueda desprenderse fácilmente la aleta del lomo. • Ponga a derretir la mantequilla y manténgala al calor. Lave el limón, séquelo y córtelo en trozos. Lave el perejil y séquelo. • Sirva las truchas adornadas con los trozos de limón y el perejil. Acompáñelas con la mantequilla. • Puede acompañarlas con patatas hervidas y ensalada verde.

Truchas a la molinera

A la derecha de la foto

4 truchas recién pescadas
el zumo de 1 limón o
2 cucharadas de vinagre
1 cucharadita de sal
4 cucharadas de harina
100 g de mantequilla
1 limón
1 manojo de perejil

Fácil • Rápida

Por persona aproximadamente
2 005 kJ/480 kcal · 50 g de
proteínas · 28 g de grasas · 8 g
de hidratos de carbono

Tiempo de preparación:
15 minutos
Tiempo de cocción: 15 minutos

Si fuese necesario, quite las escamas a las truchas, retire las tripas y lávelas bajo el chorro del agua fría por dentro y por fuera, séquelas con papel de cocina y rocíelas con el zumo de limón o el vinagre; déjelas reposar 10 minutos. • Sale las truchas por dentro y por fuera y páselas por la harina. Caliente la mantequilla en una sartén grande o en dos pequeñas. Fría en ellas las truchas unos 12 minutos por ambos lados hasta que estén doradas. • Lave el limón y el perejil y séquelos. Corte el limón en trozos. Adorne las truchas con los trozos de limón y las ramitas de perejil. • Aconsejamos acompañe este plato con patatas con perejil y una ensalada mixta.

Nuestra sugerencia: Puede obtener un plato más refinado esparciendo sobre las truchas unas almendras fileteadas fritas en mantequilla poco antes de servir. En lugar de truchas, puede emplear otros pescados pequeños, como lenguados y platijas.

Guisos especiales con ingredientes delicados

Las salsas finas se ligan fácilmente con puré de verduras

Mejillones con salsa crema

A la derecha de la foto

1½ kg de mejillones frescos
2 cebolla · 1 apio nabo
¼ l de vino blanco seco
1,2 dl de agua · 2 hojas de laurel
8 granos de pimienta
300 g de calabacines
40 g de mantequilla
¼ l de crema de leche
1 pizca de sal y de pimienta
negra recién molida
1 manojo de perejil

Elaborada

Por persona 2 635 kJ/630 kcal · 47 g de proteínas · 35 g de grasas · 20 g de hidratos de carbono

Tiempo de cocción: 1 hora

Cepille concienzudamente los mejillones bajo el chorro del agua fría hasta que el agua salga limpia. Tire los mejillones abiertos. Pele las cebollas y córtelas en rodajas. Limpie el apio nabo y córtelo en tiras. • Ponga a hervir en una cacerola grande el agua con el vino, la cebolla, el apio nabo, las hojas de laurel y los granos de pimienta. Ponga a cocer los mejillones en el recipiente tapado 10 min, agitándolo de vez en cuando. • Deje escurrir los mejillones en un colador; conserve el caldo (tire los mejillones que continúen cerrados). • Pele los calabacines, córtelos en dados y déjelos hervir 10 min en el caldo de los mejillones; páselos después por un chino. • Separe los mejillones de sus conchas. • Caliente la mantequilla en una cacerola y añádale el puré de calabacines. Incorpórele la crema de leche y deje cocer la salsa 5 min a fuego lento. • Caliente los mejillones en la salda, pero sin dejarla hervir; salpiméntela. Pique el perejil y mézclelo con el guiso. • Sirva con arroz blanco y ensalada.

Gambas en salsa de eneldo

A la izquierda de la foto

400 g de gambas
2 aguacates maduros
40 g de mantequilla
3,5 dl de caldo de verduras caliente
1,2 dl de vino blanco seco
1 yema de huevo
4 cucharadas de crema de leche
1 pizca de sal y de azúcar
2 cucharadas de eneldo o perejil finamente picado

Fácil • Rápida

Por persona aproximadamente 1 965 kJ/470 kcal · 20 g de proteínas · 38 g de grasas · 6 g de hidratos de carbono

Tiempo de cocción: 30 minutos

Pele las gambas, quíteles el cordón intestinal y lávelas ligeramente; déjelas escurrir. Corte los aguacates por la mitad, quíteles el hueso, pélelos y pase la carne por un tamiz. • Caliente la mantequilla en un cazo y añada, removiendo, el puré de aguacates y el caldo. Vierta el vino y dé un hervor a la salsa. Incorpore las gambas a la salsa, pero no las deje hervir. Bata la yema con la crema de leche e incorpórelas a la salsa caliente, removiendo; condimente con sal y azúcar. Incorpore finalmente las puntas de eneldo, removiendo. • Rellene con el guiso unos volovanes de hojaldre o sírvalo con arroz hervido.

Nuestra sugerencia: En vez de gambas, puede preparar este plato con quisquillas, cigalas o langostinos, según las posibilidades del mercado. Puede utilizar las cáscaras para un caldo de pescado.

Pescado con patatas y champiñones

Una receta adecuada para la merluza o el eglefino

250 g de cebollas

50 g de mantequilla

200 g de champiñones

1 cucharadita de sal marina

2 cucharadas de zumo de limón

1 cucharada de perejil finamente picado

1 kg de patatas harinosas

1 cucharada de granos de eneldo

1 cucharada de cubito de caldo de verduras

500 g de eglefino o merluza

1 tomate

1 cucharada de eneldo o perejil finamente picado

Fácil

Por persona aproximadamente 1 715 kJ/410 kcal · 30 g de proteínas · 11 g de grasas · 48 g de hidratos de carbono

Tiempo de preparación: 30 minutos

Tiempo de cocción: 20 minutos

Pele las cebollas, píquelas groseramente y dórelas en una sartén grande con la mantequilla, sáquelas de la sartén y resérvelas. • Prepare los champiñones, lávelos, séquelos y córtelos en rodajas finas; póngalos a cocer en la sartén con ½ cucharadita de sal, 1 cucharada de zumo de limón y el perejil 5 minutos, con el recipiente tapado. Saque los champiñones de la sartén. • Pele las patatas, lávelas, córtelas en láminas finísimas y colóquelas en la sartén, alternando con las cebollas; vierta el caldo de verduras y las simientes de eneldo sobre las patatas. • Lave el pescado, séquelo, rocíelo con el zumo de limón restante y sálelo; divídalo en cuatro trozos y colóquelos en la sartén. Esparza por encima los champiñones. Vierta 1 taza de agua en la sartén y deje cocer con el recipiente tapado a fuego moderado unos 20 minutos. • Lave el tomate y córtelo en ocho trozos. Esparza el eneldo o perejil sobre el pescado y adorne con los trozos de tomate.

Arenques rellenos

Una receta original para un plato aromático

4 arenques

3 cucharadas de zumo de limón

2 cucharadas de tomate concentrado

1½ cucharaditas de sal marina

250 g de cebollas tiernas

250 g de puerros

2 cucharadas de mantequilla

500 g de tomates

1 dl de crema de leche

2 cucharadas de perejil picado

Para la fuente: mantequilla

Fácil

Por persona 2 865 kJ/685 kcal · 38 g de proteínas · 51 g de grasas · 16 g de hidratos de carbono

Tiempo de preparación: 30 min

Tiempo de horneado: 30 min

Descarne y destripe los arenques, lávelos concienzudamente por dentro y por fuera y séquelos después con papel de cocina. Rocíelos por dentro y por fuera con 2 cucharadas de zumo de limón y sazónelos con 1 cucharadita de sal. Unte la parte abierta de los arenques con el tomate concentrado. • Pele las cebollas y corte la mitad en dados pequeños y el resto en aros. Prepare el puerro, límpielo, córtelo por la mitad a lo largo y después en diagonal en tiras finas. Deje dorar los dados de cebolla y las tiras de puerro un momento en la mantequilla. • Precaliente el horno a 180°. Unte una fuente refractaria con mantequilla. • Rellene los pescados con la mezcla de verduras fritas y colóquelos uno al lado del otro en la fuente. Reparta uniformemente la verdura restante y los aros de cebolla por encima. Corte los tomates en rodajas y colóquelas entre los pescados. Bata la crema de leche con el zumo de limón y la sal restantes y viértala por encima. • Hornee 30 min. • Sirva el plato con el perejil esparcido por encima. • Acompañe con patatas espolvoreadas con perejil y una ensalada verde.

Platijas de mayo

Más sabrosas recién pescadas

Caballas con tomate

El pescado y los tomates se complementan armónicamente

4 platijas
4 cucharadas de zumo de limón
150 g de tocino entreverado
2 cebollas
1 manojo de perejil y de eneldo
½ cucharadita de sal
1 cucharadita de pimienta blanca recién molida
2 cucharadas de harina
1 limón

Receta famosa

Por persona aproximadamente
2 385 kJ/570 kcal · 53 g de
proteínas · 35 g de grasas · 8 g
de hidratos de carbono

Tiempo de cocción: 1¼ horas.

Corte la cabeza, la cola y las espinas laterales a las platijas. Destrípelas, lávelas a conciencia y séquelas por dentro. Rocíe las platijas con el zumo de limón y déjelas reposar 10 minutos. • Corte en dados pequeños el toci-

no. Pele las cebollas y córtelas en rodajas. Lave el perejil y el eneldo, séquelos y píquelos finamente. • Ponga a dorar los dados de tocino en una sartén a fuego moderado y resérvelos. Dore los aros de cebolla en la grasa del tocino y añádalos a éste. • Seque bien las platijas, salpiméntelas y páselas por la harina. Sacúdalas un poco y fríalas, una tras otra, a fuego moderado en la grasa del tocino de 3 a 4 minutos por lado, resérvelas en una fuente al calor. • Vuelva a calentar el tocino y las cebollas en la grasa de freír y añada el perejil y el eneldo; vierta la mezcla sobre las platijas. • Lave el limón, séquelo y córtelo en gajos. Adorne con él las platijas. • Acompañe este plato con una ensalada de patatas.

1 kg de caballas
2 cucharadas de zumo de limón
1 pizca de pimienta negra recién molida
2 cucharadas de estragón fresco finamente picado o
1 cucharada de estragón seco
1 kg de tomates
3 dientes de ajo
1 cucharada de aceite de oliva
1 cucharadita de sal marina
2 cucharaditas de albahaca fresca picada o
1 cucharadita de albahaca seca
1 cucharada de harina de trigo integral
1,2 dl de vino blanco seco

Receta integral • Económica

Por persona aproximadamente
2 360 kJ/565 kcal · 50 g de
proteínas · 32 g de grasas · 13 g
de hidratos de carbono

Tiempo de cocción: 40 minutos

Lave las caballas, quíteles las cabezas, ábralas por la mitad a lo largo, elimine la espina central y haga unos cortes sesgados en la piel. Rocíelas por ambos lados con el zumo de limón y espolvoree con 1 pizca de pimienta; reparta el estragón sobre el pescado y dentro de los cortes. • Haga un corte en forma de cruz a los tomates, escáldelos en agua hirviendo, pélelos y córtelos en cuatro trozos. Pele los dientes de ajo y píquelos finamente. Caliente el aceite de oliva en una sartén grande. Dore los ajos y añada los tomates, la pimienta restante, ½ cucharadita de sal y la albahaca. Lleve a ebullición un momento. • Deslíe la harina integral en el vino y vierta uniformemente en la sartén. • Coloque las caballas con la piel hacia arriba sobre los tomates. Deje cocer a fuego lento y con el recipiente tapado 10 a 15 minutos. • Sazone con la sal restante. • Acompañe este plato con patatas al perejil.

Pescados casi al natural

Aquí se hace resaltar muy especialmente el delicado sabor de los pescados marinos

Eglefino con mantequilla derretida

A la izquierda de la foto

1 kg de recortes de pescado
1 cebolla
1 zanahoria
1 puerro
1 hoja de laurel pequeña
1 l de agua
1 pizca de sal y de pimienta blanca recién molida
1 eglefino o merluza limpio y preparado para cocer
1 limón
4 ramitas de estragón
125 g de mantequilla

Elaborada • Fácil

Por persona aproximadamente 1 880 kJ/450 kcal · 46 g de proteínas · 26 g de grasas · 6 g de hidratos de carbono

Tiempo de preparación: 40 minutos
Tiempo de cocción: 30 minutos

Lave bien los recortes de pescado. Pele la cebolla, prepare la zanahoria y el puerro, lávelos y trocéelos. Hierva en el agua la verdura con los recortes de pescado y la hoja de laurel 30 minutos lentamente. • Pase el caldo de pescado por un colador y salpiméntelo. Lave el pescado y déjelo escalfar en el caldo a fuego lento de 25 a 30 minutos. • Saque el pescado, córtelo en cuatro trozos y retire las espinas. Lave el limón, séquelo y córtelo en gajos. Lave el estragón y séquelo. • Coloque los trozos de pescado en una fuente, adorne con los gajos de limón y las ramas de estragón. • Derrita la mantequilla, pero sin que se oscurezca. • Rocíe con ella el pescado y sirva el resto en una salsera aparte. • La mejor guarnición son unas patatitas nuevas hervidas.

Bacalao con salsa de vino

A la derecha de la foto

4 rodajas de bacalao o merluza de 200 g cada una
el zumo de ½ limón
½ cucharadita de sal
2 zanahorias
1 apio nabo
100 g de tallos de apio
1 hoja de laurel
½ l de vino blanco seco
1 pizca de pimienta blanca recién molida
1 petit suisse natural
1 dl de crema de leche
unas hojas de albahaca

Económica • Fácil

Por persona aproximadamente 1 965 kJ/470 kcal · 40 g de proteínas · 26 g de grasas · 6 g de hidratos de carbono

Tiempo de cocción: 40 minutos

Lave las rodajas de bacalao, rocíelas con el zumo de limón y sálelas. Raspe las zanahorias, el apio nabo y los tallos de apio, lávelos y córtelos en juliana fina. Ponga la verdura preparada en una cacerola ancha junto con la hoja de laurel y el vino blanco y hierva 5 minutos. Condimente la salsa de vino con la pimienta y mézclela con el petit suisse y la crema, removiendo. • Escalfe las rodajas de pescado en la salsa unos 10 minutos a fuego lento y adórnelas con la albahaca. • Acompañe con patatas al perejil.

Nuestra sugerencia: Puede añadir a las verduras 300 g de guisantes congelados.

Budines de pescado y verduras

Forma especialmente atractiva de servir el pescado

Budín de coliflor y pescado

A la izquierda de la foto

1 coliflor · 150 g de mijo

½ l de agua

1 cucharadita de sal de hierbas y mezcla de especias para pescado

600 g de filetes de bacalao

2 cucharadas de zumo de limón

3 cucharadas de salsa de soja

2 cucharadas de perejil finamente picado

2 huevos

2 dl de crema de leche

50 g de mantequilla

Para la fuente: mantequilla

Receta integral

Por persona aproximadamente 2 530 kJ/605 kcal · 41 g de proteínas · 31 g de grasas · 39 g de hidratos de carbono

Tiempo de preparación: 40 min

Tiempo de cocción: 20 minutos

Prepare la coliflor, lávela en agua tibia y divídala en ramitos. Póngalos a hervir unos 15 min junto con el mijo, el agua, la sal de hierbas y las especias. • Retire la cacerola del fuego y deje reposar el mijo 5 min tapado. • Ponga a escurrir el mijo y la verdura en el tamiz. • Lave el pescado, séquelo y córtelo en dados. Mezcle en una fuente el pescado con el zumo de limón, la salsa de soja y el perejil. Deje reposar dados de pescado. • Precaliente el horno a 200° y unte con mantequilla una fuente refractaria. • Separe las yemas de las claras. Mezcle el mijo y las verduras con el pescado, las yemas de huevo y la crema de leche. Bata las claras a punto de nieve y mézclelas cuidadosamente con la mezcla anterior. Viértala en el molde y esparza unos copitos de mantequilla por encima. Deje hornear la preparación 20 min.

Budín de pescado y tomates

A la derecha de la foto

800 g de filetes de gallineta

4 cucharadas de zumo de limón

1 kg de tomates

½ cucharadita de sal

1 pizca de pimienta blanca

1 cebolla

1-2 dientes de ajo

4 cucharadas de aceite

1 manojo de tomillo o

½ cucharadita de tomillo seco

1 manojo de albahaca

Para la fuente: mantequilla

Fácil

Por persona aproximadamente 1 590 kJ/380 kcal · 40 g de proteínas · 20 g de grasas · 12 g de hidratos de carbono

Tiempo de preparación: 20 minutos

Tiempo de cocción: 30 minutos

Lave los filetes de pescado, séquelos y córtelos en tiras de 3 cm de ancho, rocíelos con el zumo de limón y deje marinar 10 minutos. • Lave los tomates, retire los pedúnculos y córtelos en rodajas. Precaliente el horno a 200°. Unte la fuente con mantequilla. • Alterne en él los trozos de pescado y las rodajas de tomate y salpiméntelo todo. • Pele la cebolla y los dientes de ajo, píquelos finamente y póngalos a dorar en el aceite. Lave el tomillo fresco y distribúyalo sobre la mezcla de cebollas y tomates. Distribuya la mezcla de cebollas sobre los tomates y las tiras de pescado. Cubra la fuente con una tapa o papel de aluminio y manténgala en el centro del horno durante 30 minutos. • Sirva la preparación tras espolvorearla con la albahaca cortada en tiras. • Acompañe con puré de patatas o arroz.

Pescados marinos preparados exquisitamente

Menús de pescado muy digestivos

Rollitos de lenguado rellenos

A la izquierda de la foto

10 filetes de lenguado de 100 g cada uno · 50 g de mantequilla
250 g de recortes de pescado
1 cebolla · 200 g de champiñones · ½ hoja de laurel
12 granos de pimienta blanca
3,5 dl de vino blanco seco
½ cucharadita de sal y de pimienta blanca
½ clara de huevo
1,2 dl de crema de leche
40 g de paté de oca
2 escalonias · 2 yemas de huevo
3 cucharadas de vermut seco

Receta famosa • Elaborada

Por persona 2 425 kj/580 kcal · 48 g de proteínas · 27 g de grasas · 8 g de hidratos de carbono

Tiempo de cocción: 1½ horas

Lave los filetes y los recortes de pescado y déjelos escurrir. Pele la cebolla y córtela en rodajas. Lave los champiñones, quíteles los pies y córtelos en rodajas. • Derrita 25 g de mantequilla en una cacerola y dore en ella la cebolla y los recortes de pescado. Añada los pies de los champiñones, los granos de pimienta, la hoja de laurel y el vino y deje cocer a fuego lento 30 min. • Salpimente 2 filetes y redúzcalos a puré. Mezcle éste primero con la clara de huevo y después con la crema de leche y bátalo todo. Incorpore el paté de oca y úntela sobre la parte superior de los 8 filetes. Enrolle éstos y sujételos con palillos. • Pique las escalonias y dórelas en la mantequilla restante. Añada las rodajas de champiñones y coloque los rollitos de pescado en la cacerola. Añada el caldo de pescado tamizado y ponga a escalfar los rollitos con el recipiente tapado 8 min. • Bata el vermut con las yemas en un cazo al baño maría hasta obtener una crema. Conserve los rollitos de pescado en una fuente al calor. Mezcle el fondo de cocción del pescado con la crema de yemas y vermut, y vierta sobre los rollitos. Acompáñelo con bolas de pepino doradas en mantequilla.

Pescado con verduras

A la derecha de la foto

2 manojos de hojaldres para el caldo · 200 g de champiñones
30 g de mantequilla
1 pescado pequeño sin cabeza (merluza o bacalao) de 1 kg
3 cucharadas de zumo de limón
1 pizca de pimienta blanca
1 dl de crema de leche
1 cucharada de salsa de soja
1 cucharadita de sal marina, tomillo seco y pimentón dulce
2 cucharaditas de harina de trigo integral · 1,2 dl de vino blanco
200 g de guisantes desgranados.
1 cucharadita de eneldo, perejil y albahaca finamente picados

Receta integral

Por persona 1 695 kJ/405 kcal · 50 g de proteínas · 15 g de grasas · 12 g de hidratos de carbono

Tiempo de cocción: 45 minutos

Lave y pique las hortalizas. Corte los champiñones en rodajas. • Derrita la mantequilla, incorpore las hortalizas preparadas y déjelas cocer tapadas 5 min. • Lave el pescado y quítele las escamas, destrípelo y rocíelo por dentro y por fuera con 2 cucharadas de zumo de limón, luego condiméntelo con la pimienta. • Mezcle la crema de leche con la salsa de soja, las especias, la harina y el vino y añádalo, junto con los guisantes, las hortalizas. Deje rehogar el pescado a fuego lento sobre la preparación 20 min. Condimente con el zumo de limón restante y las finas hierbas.

Cazuela de pescado y mejillones

Un plato ligero rico en proteínas

Budín de pescado

Una especialidad muy delicada

| 500 g de recortes de pescado |
| 1 ramita de perejil |
| 1 limón |
| 2 cebollas |
| ½ apio |
| 4 granos de pimienta |
| 750 g de mejillones |
| 1 diente de ajo |
| 2 cucharadas de mantequilla |
| ½ l de vino blanco seco |
| 400 g de merluza o bacalao en filetes |
| ½ cucharadita de sal |
| 1 cucharada de perejil o eneldo finamente picado |

Elaborada

Por persona aproximadamente
1 715 kJ/410 kcal · 41 g de
proteínas · 11 g de grasas · 16 g
de hidratos de carbono

Tiempo de cocción: 1 hora

Para el caldo lave los recortes de pescado, el perejil y el li-

món. Corte éste en rodajas. Pele 1 cebolla y el apio. Corte el apio en dados. Cubra con agua los ingredientes preparados y la pimienta, y deje cocer 30 minutos. • Cepille los mejillones a conciencia bajo el chorro del agua fría (elimine las conchas que estén abiertas). Pele la cebolla restante y el diente de ajo, píquelos y dórelos en una cazuela con la mantequilla. Añada los mejillones y el vino y deje cocer, con el recipiente tapado, 15 minutos, agitándolo de vez en cuando. • Tamice el caldo de los mejillones y extraiga la carne de las conchas (elimine las que estén cerradas). • Cuele también el caldo de pescado y mézclelo con el de los mejillones. Trocee el pescado, sálelo y déjelo cocer 10 minutos en el caldo a fuego lento. • Incorpore los mejillones al caldo y caliéntelos. • Rectifique la condimentación y esparza por encima el perejil o eneldo.

| 750 g de filetes de merluza, bacalao o gallineta |
| 1 panecillo de la vigilia |
| ¼ l de leche |
| 40 g de tocino entreverado |
| 1 cebolla |
| 3 huevos |
| 1 cucharada de maicena |
| 1 pizca de sal y de nuez moscada recién rallada |
| Para el molde mantequilla y pan rallado |

**Especialidad noruega •
Elaborada**

Por persona aproximadamente
1 965 kJ/470 kcal · 45 g de
proteínas · 25 g de grasas · 16 g
de hidratos de carbono

Tiempo de preparación:
30 minutos
Tiempo de cocción: 1 hora

Lave el pescado, séquelo y córtelo en dados gruesos. Ponga

a remojar el panecillo en ⅛ l de leche. Corte en dados pequeños el tocino, pele las cebollas y píquelas finamente. Ponga a derretir la mitad de los dados de tocino en una sartén. Dore en ella la cebolla y déjela enfriar. • Pase por la picadora el pescado y la mezcla de cebolla y tocino. Mezcle esta preparación con los huevos, la leche restante, la maicena y el panecillo desmenuzado, hasta convertirla en una masa lisa; condiméntela con la sal y la nuez moscada. • Unte bien con mantequilla un molde de budín y espolvoréelo con pan rallado. Vierta en él la masa de pescado y tape bien el molde. Deje cocer el budín al baño maría 1 hora a fuego lento. Cuide de que el agua no rebase nunca los 3 cm por debajo del borde del budín. • Saque el molde del baño maría. Deje reposar el budín unos minutos, vuélquelo y sírvalo en seguida. • Puede acompañarlo con salsa de tomate o de hierbas.

Waterzooi

En lugar de una cazuela de pescado, puede preparar con esta receta un plato de ave

1 250 g de pescados marinos variados · 1 cebolla grande
1 apio nabo · 1 hoja de laurel
4 granos de pimienta negra
4 granos de pimienta blanca
¼ l de vino blanco seco
el zumo de 2 limones
1 pizca de sal
250 g de tallos de apio
1 puerro · 2 zanahorias
2 cucharadas de mantequilla
2 yemas de huevo
1,2 dl de crema de leche
1 pizca de sal y de nuez moscada recién rallada

Especialidad holandesa

Por persona aproximadamente
2 340 kJ/560 kcal · 62 g de
proteínas · 22 g de grasas · 17 g
de hidratos de carbono

Tiempo de cocción: 1 hora

Lave los pescados a conciencia, quíteles las cabezas, las colas y las espinas. Ponga los recortes de pescado en una cacerola grande. Pele la cebolla y córtela en cuatro trozos. Prepare el apio nabo, lávelo y únalo a los recortes de pescado, junto con la hoja de laurel, los cuartos de cebolla y los granos de pimienta. Vierta el vino y añada agua hasta que los trozos de pescado queden cubiertos. Deje cocer el caldo a fuego lento 30 min. • Corte los pescados limpios en trozos, rocíelos con el zumo de limón y sálelos. • Prepare el apio, el puerro y las zanahorias, lávelos y córtelos en trozos pequeños. • Caliente la mantequilla en una cazuela grande y sofría las verduras en ella. Coloque encima los trozos de pescado. Cuele el caldo de pescado y vierta ¼ l por encima. Deje cocer el pescado lentamente con el recipiente tapado 15 min. • Bata las yemas con la crema de leche. Hierva unos minutos a fuego vivo el resto del caldo de pescado y mezcle 2 cucharadas del mismo con la crema de leche y las yemas; retire el caldo del fuego, líguelo con éstas y condimente con la sal y la nuez moscada. • Vierta la salsa sobre el pescado cocido.

La tentación de Jansson

Un budín de patatas con filetes de anchoas

750 g de patatas
20 filetes de anchoas
400 g de cebollas
40 g de mantequilla
½ cucharadita de pimienta blanca recién molida
2 dl de crema de leche
2 cucharadas de pan rallado
1 cucharada de mantequilla
Para untar la fuente: mantequilla

Especialidad sueca •
Elaborada

Por persona aproximadamente
1 880 kJ/450 kcal · 7 g de
proteínas · 27 g de grasas · 43 g
de hidratos de carbono

Tiempo de preparación:
20 minutos
Tiempo de cocción: 1 hora

Pele las patatas, lávelas y córtelas en rodajas y después en tiritas; séquelas con papel de cocina. • Deje escurrir los filetes de anchoa. Pele las cebollas, córtelas en rodajas finas y dórelas en la mantequilla, déjelas enfriar. • Precaliente el horno a 220°. Unte con mantequilla una fuente refractaria. • Vierta en ella la mitad de las patatas y esparza la pimienta. Reparta por encima los filetes de anchoa y la cebolla y cubra con las patatas restantes. Vierta la crema de leche sobre las patatas y espolvoréelas con pimienta y pan rallado, distribuyendo después la mantequilla en copitos. • Tape con papel de aluminio y ponga en el centro del horno 30 minutos, hasta que la superficie de la preparación adquiera una costra dorada. • Acompañe con una ensalada verde.

Matelote

Un plato marinero cocinado con vino

Ingredientes para 6 personas:
1 kg de pescados de agua dulce variados, listos para cocinar, como anguila, perca, trucha, tenca · 1½ cucharaditas de sal
½ cucharadita de pimienta negra
2 cebollas · 2 escalonias
250 g de champiñones
100 g de mantequilla
2 cucharadas de coñac
½ l de vino blanco afrutado
1 ramillete compuesto de 1 hoja de laurel, 6 ramitas de perejil, 1 ramita de tomillo fresco
el zumo de 1 limón
50 g de petit suisse natural
½ dl de crema de leche
1 cucharada de harina
200 g de tallarines
1 cucharadita de sal

Especialidad francesa

Por persona 2 925 kJ/700 kcal ·
36 g de proteínas · 40 g de grasas
· 33 g de hidratos de carbono

Tiempo de cocción: 40 minutos

Lave los pescados, séquelos, córtelos en trozos y salpiméntelos. Pele las cebollas y las escalonias y píquelas. Prepare los champiñones, lávelos y corte los sombreros grandes por la mitad o en cuartos. • Dore en una cacerola las cebollas y las escalonias en 50 g de mantequilla, añada los trozos de pescado y sofríalos, removiendo 1 min. Vierta el coñac, flaméelo, vierta después el vino y deje 5 min. • Incorpore los champiñones y el ramillete de hierbas junto con el zumo de limón, el petit suisse y la crema a los pescados y prosiga la cocción 7 ú 8 min. • Amase la harina con la mantequilla restante. • Hierva los tallarines «al dente». • Coloque los pescados en una fuente honda. Ligue la salsa con la masa de harina y mantequilla, déjela cocer 3 min, sálela otra vez y viértala sobre los pescados.

Las recetas más famosas de anguilas

Sabrosas, festivas y especiales

Anguila «au bleu»

A la izquierda de la foto

1 kg de anguila	
½ cucharadita de sal	
¼ l de vinagre	
1 cebolla	
1 l de agua	
6 granos de pimienta	
1,2 dl de vino blanco seco	
1 limón	
1 manojo de perejil	

Elaborada

Por persona aproximadamente
3 075 kJ/735 kcal · 38 g de
proteínas · 61 g de grasas · 3 g
de hidratos de carbono

Tiempo de preparación:
25 minutos
Tiempo de cocción: 20 minutos

Destripe con cuidado la anguila y lávela, teniendo cuidado
de que no se lesione la piel mucosa. Frote por dentro la anguila
con la sal. Ate la cabeza con la
cola con la ayuda de un bramante. Coloque la anguila en una
fuente honda. Caliente el vinagre,
viértalo sobre la anguila y déjela
reposar 5 minutos. • Pele la cebolla. Hierva el agua en una cacerola. Añada la cebolla, los granos
de pimienta y el vino. Meta la anguila en el caldo y déjela cocer 20
minutos a fuego lento, sin que el
líquido llegue a hervir. • Lave el
limón, séquelo y córtelo en trozos. Lave el perejil y séquelo. •
Retire cuidadosamente con una
espumadera la anguila del caldo
de cocción, quítele la cabeza y la
cola y córtela en porciones. Sírvala en una fuente precalentada,
con los trozos de limón y las ramitas de perejil. • Puede acompañarla con salsa holandesa (receta
página 118) o una salsa de alcaparras con patatas hervidas.

Anguila a la flamenca

A la derecha de la foto

1 kg de anguila lista para la cocción	
el zumo de 1 limón	
½ cucharadita de sal y de pimienta negra recién molida	
50 g de hierbas frescas variadas, como acedera, perejil, perifollo, estragón, un poco de salvia y albahaca	
1 cucharada de mantequilla	
3,5 dl de cerveza	
30 g de mantequilla	
30 g de harina	
1 pizca de azúcar	

Especialidad belga • Elaborada

Por persona aproximadamente
3 470 kJ/83 kcal · 38 g de
proteínas · 70 g de grasas · 56 g
de hidratos de carbono

Tiempo de cocción: 1 hora

Lave la anguila, córtela en trozos, rocíela con el zumo de limón y déjela reposar unos minutos. Después salpiméntela. • Lave
las hierbas, séquelas y píquelas finamente. • Ponga a derretir la
mantequilla en una cacerola y sofría las hierbas, luego vierta la cerveza. Lleve a ebullición e introduzca los trozos de anguila; déjelos cocer a fuego lento 15 minutos. • Saque los trozos de anguila
del caldo de cerveza y consérvelos al calor. Cuele el caldo a través de un colador. • Caliente la
mantequilla en un cazo, dore en
ella la harina y añada poco a poco el caldo de cerveza, removiendo. Lleve la salsa a ebullición,
condiméntela con el azúcar y, si
fuera necesario, sal. Vuelva a calentar los trozos de anguila en la
salsa.

Risotto de mejillones

Un arroz cremoso y aromático

1 cebolla
1 diente de ajo
4 cucharadas de mantequilla
250 g de arroz de grano redondo
½ l de caldo de ave caliente
¼ l de vino blanco seco
1,5 dl-¼ l de agua caliente
1 hoja de laurel
2 guindillas
1½ kg de mejillones recién cocidos (obtendrá 250 g una vez desprovistos de sus conchas)
50 g de queso parmesano recién rallado
1 pizca de sal y de pimienta negra recién molida
unas hojas de albahaca fresca

Especialidad italiana

Por persona aproximadamente 1 985 kJ/475 kcal · 17 g de proteínas · 18 g de grasas · 55 g de hidratos de carbono

Tiempo de cocción: 50 minutos

Pele la cebolla y el diente de ajo y píquelos finamente. Caliente la mantequilla en una cacerola y dore en ella la cebolla y el ajo. Agregue el arroz, remueva y vierta lentamente el caldo de ave, el vino blanco y el agua. Agregue también la hoja de laurel y las guindillas. Deje dar un hervor y luego cueza el arroz a fuego lento de 30 a 40 minutos. • Deje escurrir los mejillones e incorpórelos 5 minutos antes de finalizar la cocción al arroz. Retire la hoja de laurel y las guindillas. Mezcle el queso con el arroz y condimente con la sal y la pimienta. Lave la albahaca, córtela en tiras y espárzala sobre el arroz. • Puede acompañar este plato con ensalada mixta de lechuga y el mismo vino que haya utilizado para cocinarlo.

Rollitos de col y pescado

Un plato indicado para ocasiones especiales

800 g de col rizada
1 cucharadita de sal
4 filetes de merluza o rape de 200 g cada uno
2 cucharadas de petit suisse natural · 2 huevos
2 cucharadas de crema de leche
½ cucharadita de pimienta blanca recién molida
2 cucharadas de mostaza
½ cucharadita de albahaca seca
2 cucharadas de aceite de sésamo
1,2 dl de vino blanco
1,2 dl de caldo de verduras caliente · El zumo de ½ limón

Elaborada

Por persona 1 800 kJ/430 kcal · 45 g de proteínas · 20 g de grasas · 10 g de hidratos de carbono

Tiempo de preparación: 40 min

Limpie la col y blanquéela en agua hirviendo de 8 a 10 min. • Lave los filetes de pescado, séquelos, córtelos en trozos y redúzcalos a puré en la batidora, junto con el zumo de limón, el petit suisse, la crema de leche, los huevos, la pimienta y 1 cucharada de mostaza. Pique la albahaca y mézclela con la farsa de pescado. • Separe de 12 a 16 hojas exteriores de la col y haga unos cortes en las nervaduras centrales. Ponga 3 a 4 hojas, una sobre otra, y cúbralas con el relleno de pescado. Doble las hojas por los lados y enróllelas sobre sí mismas, átelas con un bramante y fríalas uniformemente en 1 cucharada de aceite. Mezcle la mostaza restante con el vino blanco y viértalo sobre los rollitos. Déjelos cocer tapados 30 min. • Pique el resto de la col en trozos pequeños y rehóguela con el aceite restante y el caldo de verduras 15 min; salpimente. Acompañe los rollitos con la col rehogada.

«Clam Chowder»

Versión americana de una sopa de almejas fina y nutritiva

500 g de almejas
500 g de patatas
1 cebolla grande
50 g de tocino entreverado
2 cucharadas de mantequilla
1 cucharada de harina
3,5 dl de leche caliente
¼ l de agua caliente
1,2 dl de crema de leche
1 cucharada de perejil picado
1 pizca de sal y de pimienta negra

Especialidad de los Estados Unidos

Por persona aproximadamente 1 985 kJ/475 kcal · 23 g de proteínas · 26 g de grasas · 37 g de hidratos de carbono

Tiempo de cocción: 1 hora

Lave concienzudamente las almejas y póngalas a abrir con 1 taza de agua en una cacerola cerrada y a fuego vivo, de 3 a 5 minutos o hasta que se hayan abierto. Durante este tiempo agite el recipiente varias veces. Elimine las almejas que no se hayan abierto. • Pase el caldo de almejas por un tamiz fino. • Pele las patatas, córtelas en dados pequeños y póngalas a hervir durante 10 minutos en poca agua. • Corte la cebolla en dados pequeños y el tocino en tiras; dore ambos en la mantequilla. Ponga a dorar la harina en ella, removiendo sin cesar, y añada la leche, el líquido de las almejas y el agua. Deje hervir 5 minutos. • Escurra las patatas, reduzca la mitad a puré e incorpórelo junto con los dados de patata y las almejas a la sopa. Caliéntela un momento. Añada la crema de leche y el perejil y salpiméntela.

Bullabesa marsellesa

Para la sopa de pescado más famosa de Europa no existe sólo una receta

Ingredientes para 8 personas:

800 g de pescado de carne dura listo para cocinar, como pez de San Pedro, mero, congrio y rape

800 g de pescado de carne blanda listo para cocinar, como merluza, maragota y salmonete

750 g de cabezas, espinas y recortes de pescado

3 puerros pequeños

3 cebollas

3 dientes de ajo

1 cucharadita de tomillo picado, orégano y ajedrea

1 sobre de hebras de azafrán

1,5 dl de aceite de oliva

1 hoja de laurel

1½ cucharaditas de sal

1 pizca de pimienta negra recién molida

1 l de agua

3 tomates grandes carnosos

Especialidad francesa •
Elaborada

Por persona aproximadamente 1 465 kJ/350 kcal · 38 g de proteínas · 18 g de grasas · 8 g de hidratos de carbono

Tiempo de cocción: 1½ horas

Lave bajo el chorro del agua fría todos los trozos de pescado, las cabezas, espinas y recortes, seque los trozos de pescado y deje escurrir cabezas, espinas y recortes. • Corte los puerros por la mitad a lo largo, quíteles la parte de la raíz y la parte verde oscura, lávelos, séquelos y córtelos en tiras finas. Lave también los extremos verdes, córtelos en tiras y reserve. Pele las cebollas y los dientes de ajo y píquelos por separado. Divida el ajo, las hierbas, el azafrán y 3 cucharadas de aceite en dos partes iguales, y mezcle cada una de ellas con los trozos de pescado de carne dura, por una parte, y los de carne blanda, por otra; déjelos marinar tapados. • Ponga a hervir las cabezas, es-

pinas y recortes de pescado junto con las tiras de puerro verde oscuro, 1 cebolla picada, la hoja de laurel, la sal, la pimienta y el agua durante 35 minutos con el recipiente tapado. • Caliente en una cacerola el aceite restante y dore los dados de cebolla restantes y las tiras de puerro durante 3 minutos. Añada los trozos de pescado de carne dura junto con su marinada, cuele el caldo de pescado por encima y deje cocer a fuego lento 5 minutos. Haga una incisión en forma de cruz a los tomates y escáldelos en agua hirviendo; retírelos, pélelos, córtelos por la mitad, quite las semillas y corte la carne en dados gruesos. • Agregue los trozos de pescado de carne blanda y su marinada, junto con los trozos de tomate, a la cacerola y deje cocer 8 minutos a fuego lento. • Salpimente otra vez bien la bullabesa. • Puede acompañarla con rebanadas de pan blanco tostadas al horno y untadas con mantequilla con ajo.

Nuestra sugerencia: De un pueblo de pescadores a otro encontramos para la bullabesa diferencias pequeñas y a veces importantes. Así, en algunas casas se añaden patatas a la sopa, o la enriquecen con crustáceos y moluscos. Los gastrónomos rompen una lanza a favor de la cáscara de naranja como aromatizante adicional. Por tanto, puede usted probar cuál es la mezcla que prefiere. La bullabesa puede degustarse como plato único o bien se separan los trozos de pescado en una fuente y se bebe el finísimo caldo de pescado. Como usted guste.

Perro del norte relleno

Un pescado marino de calidad excelente

Gallineta al horno

Obtendrá un pescado jugoso horneándolo con una bolsa de asar protectora

1 perro del norte o mero de 1½ kg · el zumo de 1 limón	
½ cucharadita de pimienta blanca · 200 g de champiñones	
2 escalonias	
½ cucharadita de sal	
100 g de petit suisse natural	
1 dl de crema de leche	
1 pizca de pimienta blanca	
200 g de pan de la vigilia	
1 manojo de perifollo · 1 huevo	
1 pizca de nuez moscada molida	
Para la placa del horno: mantequilla.	

Receta famosa

Por persona 2 740 kj/655 kcal · 35 g de proteínas · 45 g de grasas · 17 g de hidratos de carbono

Tiempo de preparación: 40 min
Tiempo de cocción: 35 minutos

Descame el pescado, destrípelo, lávelo y séquelo bien. Corte las agallas y las aletas. Rocíe el pescado por dentro y por fuera con el zumo de limón y frótelo por dentro con la pimienta. • Prepare los champiñones, píquelos y séquelos bien con un lienzo. Pele las escalonias, píquelas y póngalas a cocer en seco junto con las setas, la sal, 2 cucharadas de petit suisse y la pimienta, removiendo a menudo. Quite la corteza al pan, córtelo en dados y tritúrelo junto con el perifollo en la batidora. • Precaliente el horno a 200°. Unte generosamente con mantequilla la placa del horno. Mezcle las setas ya frías con el pan, el huevo y la nuez moscada. Rellene el pescado con ello y sujete la abertura de las tripas con palillos o cósala con un bramante. • Coloque el pescado en la placa de hornear y déjelo hornear 35 min en el primer nivel del mismo. • Los últimos 15 min de horneado rocíe el pescado varias veces con el petit suisse restante mezclado con la crema. • Puede acompañar este plato con patatas hervidas.

1 gallineta ya limpia de 1½ kg	
4 cucharadas de zumo de limón	
3 rebanadas de pan de molde	
3 dientes de ajo	
1 manojo de perejil	
1 cucharadita de sal	
1 pizca de pimienta blanca recién molida	
1 cucharada de pimentón dulce	
6 cucharadas de aceite de oliva	
1 limón	

Fácil

Por persona aproximadamente 1 630 kJ/390 kcal · 45 g de proteínas · 19 g de grasas · 6 g de hidratos de carbono

Tiempo de preparación: 20 minutos.
Tiempo de horneado: 40 minutos.

Corte las aletas al pescado. Quite las escamas raspando de la cola hacia la cabeza, lávelo por dentro y por fuera, séquelo y rocíelo con el zumo de limón. • Quite la corteza a las rebanadas de pan y desmíguelas bien finas. Pele el ajo y píquelo finamente Lave el perejil, sacúdale el agua, píquelo y mézclele con el ajo. • Precaliente el horno a 200°. Frote el pescado por dentro y por fuera con la sal y la pimienta. Introduzca la mitad de la mezcla de ajo y perejil en la tripa del pescado. Póngalo en la bolsa para asar. Mezcle el perejil restante con el pan, el pimentón y el aceite y distribúyalo sobre el pescado. • Deje asar el pescado en el centro del horno 40 minutos. • Lave el limón, séquelo y córtelo en gajos. Sirva el pescado adornado con los gajos de limón. • Puede acompañarlo con patatas hervidas, cortadas en rodajas, fritas en mantequilla y condimentadas con tomillo y 1 hoja de laurel, y una ensalada de lechuga.

Gratín de pescado

La costra apetitosa es, al mismo tiempo, una capa protectora

½ l de agua · 500 g de zanahorias

2 cucharaditas de cubitos de caldo de verduras

200 g de trigo integral molido

4 cebollas · 200 g de setas

100 g de mantequilla

3 cucharadas de perejil picado

1 cucharadita de sal

½ de pimienta blanca

500 g de abadejo, bacalao o merluza en filetes

1 cucharada de zumo de limón

200 g de queso Emmental

Receta integral

Por persona 2 720 kJ/650 kcal · 60 g de proteínas · 40 g de grasas · 2 g de hidratos de carbono

Tiempo de cocción: 1 hora

Hierva el agua con el cubito en un cazo pequeño, añada el trigo, remueva, tape y deje cocer a fuego lento 10 min. • Retire el cazo del fuego y deje que el trigo repose 10 min. • Pele las cebollas y píquelas. Prepare las setas y las zanahorias y píquelas o córtelas en dados. Ponga a dorar la cebolla en 50 g de mantequilla. Añada las setas y las zanahorias con la mitad del perejil, un poco de sal y pimienta y deje cocer 5 min. • Rocíe el pescado con el zumo de limón, salpiméntelo y colóquelo sobre la verdura; déjelo cocer, tapado 8 min. • Ralle el queso. Engrase una fuente refractaria. Precaliente el horno a 240°. • Mezcle el trigo integral con la tercera parte de la verdura y póngalo en la fuente. Distribuya el pescado cortado en trozos por encima. Mezcle la verdura restante con el queso y espárzala sobre el pescado. Cubra con la mantequilla restante en copitos. • Ponga la fuente a gratinar en la placa superior del horno durante 10 min. Esparza por encima el perejil restante. • Acompañe con una ensalada de lechuga.

Pescado y arroz a la oriental

A quien le gusten los platos picantes debería probar éste .

1 cebolla grande

400 g de hinojo

1 pimiento rojo

3 cucharadas de aceite de sésamo

150 g de arroz integral

¼ l de agua

2 cucharadas de salsa de soja

500 g de filetes de bacalao o merluza

1 cucharada de zumo de limón

250 g de manzanas ácidas

100 g de quisquillas

50 g de pasas

150 g de brotes de soja

1 cucharadita de perejil

Receta integral • Especialidad china

Por persona aproximadamente 1 465 kJ/350 kcal · 14 g de proteínas · 9 g de grasas · 55 g de hidratos de carbono

Tiempo de cocción: 1 hora

Pele la cebolla y píquela. Limpie los bulbos de hinojo y el pimiento, lávelos y córtelos en tiras finas. Dore la cebolla en el aceite. Añada el arroz y sofríalo. Ponga después las tiras de hinojo y pimiento y deje cocer a fuego lento, removiendo de vez en cuando 10 minutos. Vierta el agua y la salsa de soja y deje cocer lentamente 25 minutos. • Corte el pescado en trozos y rocíelo con el zumo de limón. Corte las manzanas en cuatro trozos, pélelas, quíteles el corazón y córtelas en rodajitas finas. Vierta en la sartén los dados de pescado y las manzanas y prosiga la cocción 10 minutos. • Pele las quisquillas, quíteles el cordón intestinal si fuera necesario, lávelas y déjelas escurrir. Lave las pasas con agua caliente, déjelas escurrir y añádalas a la sartén junto con los brotes de soja, las quisquillas y el perejil. Mezcle todo con mucho cuidado y, si fuese necesario, sazone un poco y cueza brevemente.

Bacalao en papillote

En el papel de aluminio el pescado se asa fácilmente y puede servirse con él

800 g de bacalao (trozo de cola)	
el zumo de 1 limón	
1 cucharadita de sal	
1 pizca de pimienta blanca recién molida	
1 cucharadita de mostaza semifuerte	
100 g de cebollas tiernas	
100 g de puerros	
100 g de zanahorias	
1 manojo de perejil	
3 cucharadas de mantequilla	
50 g de tocino entreverado en lonchas finas	

Económica • Fácil

Por persona aproximadamente
1 480 kJ/350 kcal · 38 g de
proteínas · 19 g de grasas · 7 g
de hidratos de carbono

Tiempo de preparación:
20 minutos
Tiempo de cocción: 30 minutos

Precaliente el horno a 200°. •
Limpie el pescado por dentro
y por fuera bajo el chorro del
agua fría, séquelo y rocíelo con el
zumo de limón. Mezcle la sal y la
pimienta y salpimente el pescado
por dentro. Unte la piel con la
mostaza. • Prepare las cebollas y
el puerro, lávelos y córtelos en rodajas. Raspe las zanahorias y córtelas en juliana. Lave el perejil,
agítelo para que suelte el agua y
píquelo. Unte con mantequilla un
trozo de papel de aluminio sufi-
cientemente grande y coloque el
pescado en él. Rellene el interior
del pescado con la mitad de la
mezcla de verduras y esparza el
resto por encima, junto con el perejil. • Cubra con las tiras de tocino y reparta la mantequilla en copitos. • Cierre el papel por encima
del pescado, sin apretar. Ponga a
asar el pescado en una fuente o
placa, en el centro del horno,
unos 30 minutos. • Abra el papel
de aluminio 10 minutos antes de
terminar el tiempo de cocción,
quite las tiras de tocino y deje que
el pescado tome un poco de color. • Sirva el pescado en el mismo papel de aluminio. • Acompáñelo con patatas al perejil y una
ensalada mixta fresca.

Lubina al estilo árabe

Con este plato oriental sorprenderá a sus invitados

Ingredientes para 6 personas:
1 lubina de 1½ kg
aproximadamente
3 cucharaditas de sal
1 taza de aceite de oliva
3 cebollas · 1 pimiento verde
50 g de avellanas
descascarilladas
3 cucharadas de perejil picado
3 cucharadas de granos de
granada · 3 dientes de ajo
200 g de uvas blancas
½ cucharadita de pimienta negra
100 g de pasta de sésamo
4 cucharadas de zumo de limón

Especialidad • Elaborada

Por persona 2 415 kJ/575 kcal ·
51 g de proteínas · 36 g de grasas
· 9 g de hidratos de carbono

Tiempo de preparación: 30 min
Tiempo de cocción: 50 minutos

Lave el pescado bajo el chorro del agua fría, séquelo y frótelo con 1 cucharadita de sal. Vierta la mitad del aceite en una fuente refractaria. Ponga en ella el pescado y déjelo reposar 15 min. • Precaliente el horno a 200°. • Para el relleno pele las cebollas y píquelas. Parta el pimiento por la mitad, quítele el pedúnculo, las semillas y las membranas; lávelo, séquelo y córtelo en trozos pequeños. • Caliente en una sartén 2 cucharadas de aceite sacadas del molde. Dore la cebolla y el pimiento. • Pique las avellanas, añádalas a las verduras y deje cocer otros 5 min. Agregue 2 cucharadas de perejil picado y 2 cucharadas de granos de granada o 100 g de uvas sin semillas y salpimente la mezcla. • Rellene la lubina con esta mezcla y cierre la abertura de la tripa con palillos. Ponga a asar el pescado en el horno durante unos 50 min. • Pele los dientes de ajo, macháquelos y mézclelos bien con la pasta de sésamo, el aceite de oliva sobrante, 4 cucharadas de agua, el zumo de limón y sal. • Esparza por encima los granos de granada o las uvas restantes y el perejil. • Sirva con la salsa de sésamo y arroz.

Abadejo con tomates

Un pescado económico preparado de forma especial

Ingredientes para 6 personas:
- 1½ kg de abadejo
- 1 cucharada de zumo de limón
- 1 cebolla
- 8 tomates
- 1 patata grande
- 1 cucharadita de sal
- 2 cucharadas de aceite
- 50 g de tocino graso en lonchas finas
- ¼ l de caldo de carne o verduras
- ½ cucharadita de albahaca seca
- ¼ l de crema de leche agria
- unas hojas de albahaca fresca

Económica • Fácil

Por persona aproximadamente 1 655 kJ/ 395 kcal ·
50 g de proteínas · 17 g de grasas · 10 g de hidratos de carbono
Tiempo de preparación: 40 minutos
Tiempo de cocción: 40 minutos

Lave el pescado por dentro y por fuera bajo el chorro del agua fría y séquelo. Haga dos incisiones sesgadas a lo ancho que lleguen casi hasta la espina central y frote el pescado con el zumo de limón. • Pele la cebolla y córtela en rodajitas muy finas. Haga una incisión en forma de cruz a los tomates en la parte opuesta al pedúnculo y escáldelos en agua hirviendo 2 minutos, déjelos enfriar un poco y quíteles la piel. Córtelos en cuatro trozos y elimine las semillas. • Recaliente el horno a 200°. • Pele y lave la patata. • Seque el pescado y frótelo por dentro con la sal. • Caliente el aceite en una sartén al fuego y dore los aros de cebolla, removiendo continuamente. • Meta la patata en el interior del pescado y coloque el abadejo en la fuente refractaria. La patata da al pescado sujeción suficiente para que no se vuelque en el asador. • Cubra el pescado con las lonchas de tocino. Ponga a asar el pescado en

la parte inferior del horno unos 40 minutos. • Caliente el caldo de carne o verduras. Vierta la mitad alrededor del pescado transcurridos 10 minutos de cocción. Agregue los tomates y repártalos alrededor del pescado. Vaya añadiendo poco a poco el caldo restante durante el asado. • Al cabo de 25 minutos quite las lonchas de tocino. Desmenuce la albahaca seca y mézclela con la crema de leche agria. Vierta la mezcla sobre el pescado y prosiga la cocción de 10 a 15 minutos. El pescado deberá estar dorado y crujiente. • Corte las lonchas de tocino en dados muy pequeños. Lave la albahaca fresca, séquela y corte las hojitas en tiras muy finas. • Coloque el pescado asado en una fuente de servicio precalentada. Reparta a su alrededor la salsa de la fuente con los aros de cebolla y los trozos de tomate, sazónela si fuese necesario con un poco de sal y 1 pizca de pimienta blanca recién molida. Eche por

encima los dados de tocino y las tiras de albahaca. • Sirva el pescado con puré de patatas y ensalada de guisantes y maíz.

Nuestra sugerencia: También puede preparar así la merluza y el bacalao. Pero no lo ase sobre cebolla, sino sobre dados de patata. En lugar de rociar el bacalao con crema de leche agria, esparza sobre él, poco antes de finalizar el asado, pan rallado mezclado con perejil y ajo picados y distribuya copitos de mantequilla. Si elige la merluza, póngala sobre verduras variadas, cortadas en dados pequeños, como zanahorias, puerros, guisantes y coliflor. Después cúbrala como el bacalao, con la mezcla de pan rallado y los copitos de mantequilla y ásela de este modo.

Platos delicados para menús festivos

De la trucha al lucio o a la perca, pasando por el esturión, la carpa o el salmón. Platos para menús festivos, calientes o fríos.

Pescados planos para celebraciones

Aunque siempre se sirven con verdura, cada plato conserva su toque especial.

Lenguados fritos con guarnición

A la izquierda de la foto

250 g de zanahorias tiernas

1 pizca de sal · 1 limón

4 lenguados preparados para la cocción de 300 g cada uno

3 cucharadas de zumo de limón

750 g de espinacas

250 g de champiñones

100 g de mantequilla

½ cucharadita de sal y de pimienta blanca recién molida

2 cucharadas de harina

unas ramitas de perejil

2 cucharadas de perejil picado

Fácil

Por persona aproximadamente
2 340 kJ/560 kcal · 62 g de
proteínas · 26 g de grasas · 19 g
de hidratos de carbono

Tiempo de cocción: 1¼ horas

Raspe las zanahorias, lávelas y córtelas en juliana fina; déjelas cocer en un poco de agua salada 10 min. • Lave los lenguados, séquelos y rocíelos con 2 cucharadas de zumo de limón y un poco de sal. • Prepare las espinacas, lávelas muy bien y déjelas cocer 5 min con su propia agua. • Prepare los champiñones, lávelos, córtelos en rodajas finas, rocíelos con el zumo de limón restante y fríalos 5 min en 20 g de mantequilla. • Escurra las zanahorias y las espinacas y añada 1 cucharada de mantequilla a cada verdura. Salpimente las verduras. • Seque los pescados, espolvoréelos ligeramente con harina y deje que se doren en la mantequilla restante por ambos lados de 8 a 10 min. Conserve calientes los lenguados fritos. • Coloque los pescados en una fuente precalentada con las verduras, adorne con el limón en rodajas y el perejil. Esparza el perejil picado por encima.

Filetes de pescado «trío verde»

A la derecha de la foto

150 g de puerros

250 g de calabacines

250 g de espárragos

30 g de mantequilla

150 g de guisantes desgranados

1 pizca de sal de hierbas

500 g de filetes pequeños de lenguado o platija

2 cucharadas de zumo de limón

½ cucharadita de sal marina y de pimienta blanca recién molida

1 cucharada de perejil o eneldo finamente picado

1 ó 2 limones

Elaborada • Especialidad italiana

Por persona aproximadamente
965 kJ/230 kcal · 27 g de
proteínas · 8 g de grasas · 13 g
de hidratos de carbono

Tiempo de cocción: 25 minutos

Prepare los puerros, los calabacines y los espárragos, lávelos; corte los puerros en tiras finas, los calabacines en rodajas finas y los espárragos en trozos de 4 a 5 cm de largo. • Ponga a derretir 20 g de mantequilla en una sartén grande. Dore en ella primero las tiras de puerro, después los calabacines y, finalmente, los espárragos, removiendo a menudo. Añada finalmente los guisantes y 1,5 dl de agua. Rocíe la verdura con la sal de hierbas y déjela rehogar a fuego lento 10 minutos. • Lave los filetes de pescado, séquelos, rocíelos con el zumo de limón y salpiméntelos. Colóquelos después sobre las verduras y hágalos cocer a fuego muy lento de 5 a 10 minutos, según su grosor. • Distribuya la mantequilla restante en copitos sobre los filetes de pescado, así como el perejil o el eneldo. Adorne con el limón cortado en rodajas.

Halibut asado

Apropiado como punto culminante de una comida festiva en grata compañía

Ingredientes para 8 personas:
250 g de escalonias
2 pimientos amarillos, verdes y rojos
500 g de tomates
1 puerro
2 guindillas frescas
5 cucharadas de aceite de semillas
1 cucharadita de sal
1 pizca de pimienta blanca recién molida
2 kg de halibut o rodaballo
½ manojo de perejil

Elaborada

Por persona aproximadamente 1 295 kJ/310 kcal · 53 g de proteínas · 6 g de grasas · 10 g de hidratos de carbono

Tiempo de preparación: 40 minutos
Tiempo de horneado: 50 minutos

Pele las escalonias. Corte los pimientos por la mitad, quíteles las semillas y las membranas, lave las mitades y córtelas en tiras. Escalde los tomates, pélelos, retíreles el pedúnculo y córtelos en cuatro trozos. Corte la parte verde oscura del puerro, lave el trozo blanco y córtelo en rodajas. Lave las guindillas, quíteles las semillas y córtelas en dados pequeños. Precaliente el horno a 200°.
• Caliente el aceite en una sartén grande con tapadera y dore las escalonias. Añada las verduras restantes, salpimente y deje rehogar unos 4 minutos. • Introduzca en la bolsa de asar algo menos de la mitad de las verduras y conserve caliente el resto. • Lave el pescado, séquelo, frótelo con sal y pimienta, póngalo sobre las verduras en la bolsa de asar, ciérrela y hágale algunos agujeros en la superficie. Ponga el pescado dentro de la bolsa sobre la placa fría del horno e introduzca en el centro del mismo. Deje asar el pescado 50 minutos. • Filetéelo a continuación, colóquelo en una fuente precalentada y rodéelo de las verduras con que se asó y las reservadas. Lave el perejil, píquelo finamente y espárzalo sobre las verduras.

Sabrosos pescados con tocino

El tocino confiere sabor a los pescados delicados y sirve de envoltura protectora al asarlos

Pescado envuelto en tocino

A la izquierda de la foto

2 perros del norte o lubinas de 500 g cada uno
1 cucharada de zumo de limón
2 cebollas ·4 pimientos verdes
2 cucharadas de aceite
1 cucharadita de sal
1 pizca de pimienta blanca
100 g de tocino entreverado en lonchas finas
½ l de vino blanco seco
4 tomates carnosos maduros

Receta famosa • Coste medio

Por persona 2 445 kJ/585 kcal · 44 g de proteínas · 30 g de grasas · 15 g de hidratos de carbono

Tiempo de preparación: 20 min
Tiempo de asado: 35 min

Lave los pescados por dentro y por fuera, séquelos y haga a cada lado tres incisiones sesgadas, que lleguen hasta la espina central. Frote los pescados con el zumo de limón. • Pele las cebollas y córtelas en rodajas. Corte los pimientos por la mitad, lávelos y córtelos en tiras. • Precaliente el horno a 200º. • Caliente el aceite en un asador grande. • Sofría los aros de cebolla y las tiras de pimiento. • Frote los pescados por dentro con la sal y la pimienta y póngalos sobre las verduras. Coloque las lonchas de tocino en forma de abanico sobre los pescados y vierta ¼ l de vino blanco por encima. • Ponga a asar los pescados en la parte baja del horno 35 min. Durante el asado vaya añadiendo el vino blanco restante. • Haga una incisión en forma de cruz a los tomates en la parte opuesta al tallo, pínchelos con un tenedor y escáldelos en agua hirviendo, déjelos después enfriar un poco y quíteles la piel y los pedúnculos. Tras 25 min añada los tomates a los pescados. • Acompañe con puré de patata.

Truchas con tocino

A la derecha de la foto

4 truchas listas para freír de 200 g cada una
el zumo de 1 limón
1 cucharadita de sal
1 diente de ajo
4 cucharaditas de eneldo picado
4 cucharaditas de perejil picado
60 g de queso crema fresco
2 cucharadas de leche
100 g de tocino entreverado en lonchas finas · 2 escalonias
1 cucharada de mantequilla
1,2 dl de caldo de verduras
4 puntas de romero seco

Fácil • Rápida

Por persona 1 925 kJ/460 kcal · 43 g de proteínas · 29 g de grasas · 3 g de hidratos de carbono

Tiempo de preparación: 15 min
Tiempo de asado: 25 minutos

Precaliente el horno a 200º. • Lave las truchas con agua fría por dentro y por fuera, séquelas, frótelas con zumo de limón y sálelas. • Pele el diente de ajo y píquelo. Mezcle el ajo con el eneldo, el perejil, el queso crema y la leche y unte con esta preparación el interior de los pescados. Ponga las tiras de tocino alrededor de las truchas y colóquelas una al lado de la otra en una fuente refractaria grande. Póngalas a asar 25 min en el centro del horno. • Pele las escalonias, córtelas en dados y dórelas en la mantequilla. Deje hervir ligeramente durante 5 min el caldo de verduras con las puntas de romero en un cazo sin tapar. Añada este caldo a los dados de escalonias y viértalo sobre las truchas 5 min antes de terminar el horneado. • Acompañe con picatostes recién preparados y ensalada verde.

Cigalas preparadas de forma refinada

No se cansa uno de probarlas en formas siempre distintas

Cigalas en gabardina

A la izquierda de la foto

16 cigalas peladas
½ cucharadita de sal
50 g de maicena
1 clara de huevo
125 g de zanahorias
150 g de guisantes desgranados
2 cucharadas de aceite
¼ l de ketchup
1 cucharada de salsa de soja
2 cucharadas de vinagre
1 cucharada de azúcar
Para freír: 1 l de aceite

Especialidad china

Por persona aproximadamente
3 720 kJ/890 kcal · 72 g de
proteínas · 50 g de grasas ; 37 g
de hidratos de carbono

Tiempo de cocción: 40 minutos

Quite a las cigalas el cordón intestinal, lávelas, sálelas y páselas por la maicena. Bata ligeramente la clara y pase las cigalas por ella, vuelva a pasarlas por la maicena. • Caliente el aceite en la freidora a 175°. Fría las cigalas por tandas unos 5 minutos o hasta que estén doradas. • Déjelas escurrir un momento sobre papel absorbente y consérvelas al calor. • Raspe las zanahorias, lávelas y córtelas en juliana fina. Sofría las tiras de zanahoria con los guisantes en el aceite. Añada el ketchup, la salsa de soja, el vinagre y el azúcar. Deje cocer la verdura durante unos minutos. • Deslíe la maicena con un poco de agua fría y úsela para ligar la salsa de verduras. • Sirva la verdura con las cigalas.

Cigalas flameadas

A la derecha de la foto

16 cigalas
1 cucharadita de sal gruesa
30 g de mantequilla
2 copitas de Pernod (aguardiente de anís, 4 cl)
1 diente de ajo pequeño
¼ l de crema de leche
1 pizca de sal · 2 tomates
½ cucharadita de pimienta blanca recién molida
1 pizca de anís molido y de azúcar
1 cucharadita de zumo de limón
½ manojo de cebolletas

Especialidad francesa • Fácil

Por persona aproximadamente
2 550 kJ/610 kcal · 70 g de
proteínas · 32 g de grasas · 11 g
de hidratos de carbono

Tiempo de cocción: 45 minutos

Deje cocer las cigalas en agua hirviendo salada de 3 a 5 min. • Descascaríllelas. • Caliente la mantequilla en una sartén. Sofría las cigalas un momento. Vierta encima el Pernod, flamee y deje apagar las llamas. Saque las cigalas de la sartén y resérvelas. Pele el diente de ajo, páselo por el prensaajos y agréguelo a la sartén. Añada la crema de leche y condiméntelo con la sal, la pimienta, el anís, el azúcar y el zumo de limón. Deje que la crema de leche cueza hasta reducirse y ponerse cremosa. • Limpie las cebolletas, lávelas y córtelas en rodajas finas. Escalde los tomates en agua hirviendo, pélelos, cuartéelos, retire las semillas y corte la carne en dados. Añada los dados de tomate y los aros de cebolla a la salsa y déles un hervor. Introduzca otra vez las cigalas y caliéntelas, pero sin que hiervan. • Sírvalas con picatostes recién preparados y una ensalada de lechuga con hierbas variadas.

Carpas cocinadas de forma tradicional

A quien le cueste decidirse, debería elegir las formas de preparación más conocidas

Carpa a la oriental

A la izquierda de la foto

½ carpa de unos 800 g
½ manojo de hortalizas para el caldo · 4 escalonias
1 cucharada de zumo de limón
1 pizca de pimienta negra
2 cucharadas de trigo molido
2 cucharadas de aceite de sésamo
¼ l de vino blanco seco
50 g de almendras peladas
1 cucharada de pasas
250 g de uvas blancas
1 pizca de clavo molido
½ cucharadita de sal marina
1 cucharada de cebollino picado
½ cucharadita de albahaca fresca picada o una mezcla de albahaca seca y mejorana

Receta integral

Por persona 2 030 kj/485 kcal 40 g de proteínas · 22 g de grasas · 20 g de hidratos de C.

Tiempo de cocción: 50 minutos

Para el caldo deje cocer la cabeza y las agallas de la carpa con ½ l de agua y las hortalizas preparadas 15 min. Después cuélelo y reserve 1,5 dl. • Rocíe el pescado con el zumo de limón y espolvoréelo con la pimienta. • Tueste el trigo en una sartén seca y sáquelo. Pele las escalonias, córtelas en rodajas y dórelas en el aceite. Añada el vino. Ponga el pescado encima y déjelo cocer 10 ó 15 min con el recipiente tapado y a fuego lento. • Pique las almendras, lave las pasas en agua caliente, corte las uvas por la mitad y quíteles las pepitas. • Reserve el pescado al calor. Eche el trigo, las almendras, las pasas y las uvas en la sartén, remueva y añada el caldo de pescado. • Pele el pescado, desespínelo y córtelo en trozos. Añádale las especias y las hierbas. • Acompañe este plato con arroz al curry con manzanas.

Carpa a la polaca

A la derecha de la foto

Ingredientes para 6 personas:

1 carpa lista para cocinar de 1 800 g · 56 g de pasas
6 cucharadas de vinagre
1 manojo de hortalizas para el caldo · 1 cebolla
4 cucharadas de mantequilla
3,5 dl de agua caliente
1 hoja de laurel
½ cucharadita de sal
1 pizca de pimienta y pimentón
¾ l de cerveza de malta o cerveza rubia · 1 pizca de azúcar
50 g de pan de especias
1 cucharada de harina
½ cucharadita de zumo de limón

Receta famosa

Por persona 2 175 kJ/520 kcal · 56 g de proteínas · 21 g de grasas 14 g de hidratos de carbono

Tiempo de marinada: 30 minutos

Tiempo de cocción: 1¼ horas

Corte la cabeza y la cola de la carpa. Corte el pescado por la mitad a lo largo y luego cada mitad en 3 trozos de porción. Lave el pescado y rocíelo con el vinagre; marínelo 30 min. • Lave las pasas y póngalas a remojar en agua caliente. • Lave las hortalizas para el caldo y píquelas. Pele la cebolla, córtela en dados y dórela 5 ó 10 min en la mantequilla junto con las hortalizas. Añada el agua con las especias y deje cocer 15 min. • Añada la mitad de la cerveza y prosiga la cocción 5 min. Remoje el pan de especias en la cerveza restante y añádalo a la verdura, dejando que dé un hervor. • Ponga a cocer los trozos de carpa con las pasas machacadas en la salsa 15 ó 20 min. • Coloque los trozos de pescado en una fuente precalentada. • Deslíe la harina en agua fría y añádala a la salsa para que se espese, condiméntela con sal, pimienta, el zumo de limón y el azúcar.

Pescados cocidos en un caldo aromático y especiado

El esturión y la carpa quedan muy bien escalfados en un caldo o cocidos al vapor

Lucio escalfado

A la izquierda de la foto

1 kg de lucio listo para cocinar
3 l de agua · 1 cebolla
5 cucharadas de vinagre de vino
1 tallo de apio · 1 hoja de laurel
½ manojo de eneldo
1 cucharadita de mostaza en grano · 2 cucharaditas de sal
½ cucharadita de pimienta blanca en grano
100 g de mantequilla
1 cucharadita de zumo de lima o limón · ½ limón
2 cucharadas de perejil picado
1 ramito de eneldo y otro de perejil

Receta famosa

Por persona 1 695 kJ/405 kcal · 46 g de proteínas · 23 g de grasas · 3 g de hidratos de carbono

Tiempo de preparación: 20 min
Tiempo de escalfado: 35-40 min

Lave el lucio a fondo por dentro y por fuera. • Ponga a hervir el agua con el vinagre en una besuguera. • Pele la cebolla y cuartéela. Raspe el apio, límpielo y córtelo en trozos. Eche las verduras junto con el eneldo lavado, la hoja de laurel, la mostaza, la sal y los granos de pimienta en el agua hirviendo y deje cocer, con el recipiente tapado, 5 minutos. • Coloque el lucio en la besuguera y déjelo escalfar de 35 a 40 minutos (sin dejar hervir el agua). • Derrita la mantequilla en un cazo y mézclela con el zumo de lima y el perejil. • Ponga el lucio en una fuente precalentada, rocíelo con un poco de mantequilla con perejil; sirva el resto aparte. Corte el limón en rodajas y adorne con ellas el lucio y las ramitas de eneldo y perejil bien lavadas.

Carpa a la china

A la derecha de la foto

1 kg de carpa lista para cocinar
1 cucharadita de sal
3 cucharadas de salsa de soja oriental
4 cucharadas de jerez seco
3 cucharadas de aceite
1 cucharadita de azúcar
1 cucharada en tiras finas de jengibre fresco
4 cebollas tiernas
1 l de caldo de pescado o verduras

Especialidad • Elaborada

Por persona aproximadamente 1 800 kJ/430 kcal · 46 g de proteínas · 23 g de grasas · 6 g de hidratos de carbono

Tiempo de preparación:
40 minutos
Tiempo de cocción:
35-40 minutos

Lave la carpa cuidadosamente por dentro y por fuera con agua fría; elimine las escamas grandes. Seque el pescado y haga a ambos lados, con un cuchillo afilado, unas incisiones sesgadas de 12 cm de profundidad, a una distancia de 2 cm unas de otras. Sale el pescado por dentro y por fuera y colóquelo en una fuente o plato refractario. • Mezcle la salsa de soja, el jerez, el aceite y el azúcar y rocíe con ello el pescado. Esparza por encima las tiras de jengibre. Prepare las cebollas tiernas, lávelas y córtelas en tiras de 5 cm de largo. Ponga las tiras de cebolla sobre la carpa. • Deje hervir el caldo de pescado o verduras en una besuguera. Coloque dentro la rejilla y disponga sobre ésta la fuente con la carpa. Cierre la besuguera y deje cocer el pescado al vapor de 35 a 40 minutos. • Sirva la carpa en la misma fuente. • Puede acompañarla con fideos chinos y una ensalada mixta.

Lucio mechado

Muchos gourmets prefieren el lucio preparado de esta forma

Ingredientes para 6 personas:

1 lucio de 1½ kg

el zumo de 1 limón

½ cucharadita de sal y ½ de
pimienta blanca recién molida

100 g de tocino graso
seco · 4 patatas alargadas

50 g de mantequilla

1,2 dl de crema de leche agria

5 cucharadas de vino blanco

1 cucharadita de mantequilla y
de harina

unas ramitas de eneldo fresco

Para la placa: mantequilla

Elaborada

Por persona 2 110 kJ/505 kcal · 48
g de proteínas · 27 g de grasas · 14
g de hidratos de carbono

Tiempo de cocción: 1 hora

Al comprar el lucio solicite que lo destripen. • Quite las escamas, lávelo y séquelo con papel de cocina. Rocíelo por dentro y por fuera con el zumo de limón y frote el interior con la sal y la pimienta. Corte el tocino en tiras estrechas del mismo tamaño y con la aguja de mechar páselo a través del lomo del pescado de forma que a cada lado asomen unos 2 cm de tocino. • Unte con mantequilla la placa del horno. Precaliente éste a 225°. • Pele las patatas y colóquelas en la placa. Ponga el pescado con la parte abierta de las tripas hacia abajo. Caliente la mantequilla y viértala sobre el pescado. Ponga a asar el pescado en la parte inferior del horno 25 min. Durante el asado vierta por encima del pescado la crema de leche agria batida y deje que adquiera un color tostado. Si fuera necesario, desglose los fondos de cocción con un poco de agua caliente. • Ponga el lucio en una fuente refractaria precalentada. Agregue a los fondos del asado el vino blanco y agua. Amase la mantequilla con la harina y añádala a la salsa para que se espese. Salpimente si fuera necesario. Pase la salsa por un chino sobre el lucio. Sírvalo adornado con las ramitas de eneldo lavadas. Acompañe con patatas hervidas.

Doradas a la romana

Una preparación exquisita para unos pescados delicados

4 doradas de 300 g cada una
el zumo de 1 limón
2 cebollas • 1 lechuga
1 cucharadita de sal
1 pizca de pimienta blanca
¼ l de vino blanco seco
300 g de guisantes desgranados
1,2 dl de crema de leche
50 g de mantequilla
2 cucharadas de harina
2 cucharadas de perejil picado
Para la placa: mantequilla

Especialidad italiana

Por persona 2 800 kJ/670 kcal · 63 g de proteínas · 32 g de grasas · 22 g de hidratos de carbono

Tiempo de cocción: 1¼ horas

Descame las doradas y, si fuera necesario, destrípelas; lávelas por dentro y por fuera bajo el chorro del agua fría, séquelas y rocíelas por dentro con zumo de limón. • Pique las cebollas, corte la lechuga en tiras finas. Precaliente el horno a 180°. Unte la placa del horno con mantequilla y esparza por ella los trocitos de cebolla. Distribuya las tiras de lechuga sobre la cebolla y salpiméntelo todo. Ponga encima los pescados y rocíelos con 2 cucharadas de vino blanco. Déjelos asar en la parte inferior del horno 25 min. • Coloque los pescados en una fuente precalentada y consérvelos al calor dentro del horno apagado. • Eche los fondos de cocción del pescado junto con la lechuga en una cacerola, añada el vino restante y los guisantes y deje cocer con el recipiente tapado 5 min. Deje luego reducir el líquido 2 min con la cacerola destapada. Añada la crema de leche y deje hervir 1 min. Amase la mantequilla con la harina, distribúyala en forma de copitos por la salsa y déjela hervir 1 min. Salpiméntela, viértala sobre las doradas y espolvoree con el perejil. • Sirva con pastas verdes.

Dentón a la toscana

Este pescado mediterráneo es un componente muy apreciado en la cocina toscana

2 dentones listos para cocinar de 500 g cada uno
el zumo de 1 limón
1 cebolla grande
2 dientes de ajo
500 g de tomates carnosos
1 calabacín
4 cucharadas de aceite de oliva
¼ l de vino blanco
½-1 cucharadita de sal
1 pizca de pimienta negra groseramente molida
100 g de aceitunas negras
1 manojo de albahaca

Especialidad italiana

Por persona aproximadamente 2 090 kJ/500 kcal · 36 g de proteínas · 30 g de grasas · 13 g de hidratos de carbono

Tiempo de preparación: 30 minutos
Tiempo de asado: 20 minutos

Limpie los dentones por dentro y por fuera bajo el chorro del agua fría, séquelos y hágales cuatro incisiones en ambos lados con un cuchillo, hasta llegar a la espina central. Rocíe los pescados con el zumo de limón y déjelos reposar tapados. • Pele la cebolla y los dientes de ajo y píquelos finamente. Pele los tomates, cuartéelos y quíteles los pedúnculos. Lave el calabacín y córtelo en rodajas. Precaliente el horno a 200°. Ponga a calentar 3 cucharadas de aceite de oliva en una sartén y dore la cebolla y el ajo. Añada el vino blanco y déjelo dar un hervor. Incorpore los tomates y el calabacín y deje rehogar tapado 5 minutos. Salpimente la salsa. • Viértala en una fuente refractaria y coloque dentro los dos dentones. Rocíe los pescados con el aceite de oliva sobrante, reparta las aceitunas alrededor y ase al horno unos 20 minutos. • Antes de servir esparza sobre los pescados las hojas de albahaca lavadas.

Salmón escalfado con salsa de hierbas

Una forma muy exquisita de tomar el salmón

| 4 rodajas de salmón fresco de 250 g cada una |
| 1 cucharada de zumo de limón |
| ½ cucharadita de sal |
| ½ l de agua |
| 1 cucharadita de sal |
| 1 hoja de laurel |
| 1 cucharadita de pimienta negra en grano |
| ¼ l de vino blanco seco |
| 2 dl de crema de leche espesa |
| 2 yemas de huevo |
| 2 cucharadas de vino blanco seco |
| 60 g de caviar ruso |
| 2 ramitas de perejil |

Receta famosa

Por persona aproximadamente 3 010 kJ/715 kcal · 53 g de proteínas · 42 g de grasas · 6 g de hidratos de carbono

Tiempo de cocción: 40 minutos

Lave con agua fría el salmón, séquelo y frótelo con el zumo de limón y la sal. • Ponga a hervir el agua con la hoja de laurel, la sal y los granos de pimienta. Deje cocer 10 minutos y añada el vino. • Introduzca salmón en el caldo y déjelo escalfar a fuego muy lento 15 a 20 minutos. • Ponga después las rodajas de salmón en una fuente precalentada y tápelas para que se conserven calientes. • Cuele el caldo, aparte 1,2 dl y mézclelo con la crema de leche y caliéntelo, removiendo. • Bata las yemas con el vino. Incorpore a la salsa crema caliente la yema de huevo batiendo sin cesar con la batidora de varillas, incorpore el caviar en la salsa removiendo, viértala sobre las rodajas de salmón y adórnelo con un poco de perejil.

Albóndigas de trucha en salsa fina

Preparadas a base de trucha adulta

| 750 g de recortes de pescado |
| 2 cebollas · 1 hoja de laurel |
| 1 manojo de hortalizas para el caldo · 3 claras de huevo |
| 1 pizca de sal y de pimienta blanca molida · ¼ l de leche |
| 2 panecillos de la vigilia |
| 500 g de carne de trucha |
| 1 pizca de nuez moscada rallada |
| 200 g de gambas |
| 50 g de mantequilla |
| 50 g de champiñones |
| 1 cucharada de harina |
| 1,2 dl de vino blanco |
| ¼ l de crema de leche |
| 3 yemas de huevo |
| 1 manojo de eneldo o perejil |

Elaborada

Por persona 2 635 kj/630 kcal · 39 g de proteínas · 38 g de grasas · 27 g de hidratos de carbono

Tiempo de cocción: 1½ horas
Tiempo de refrigeración: 2 horas

Ponga a hervir los recortes de pescado con las hierbas, la hoja de laurel, la sal y la pimienta cubiertos con agua, pase por un colador y reserve. • Ralle la costra del pan. Ponga los panecillos a remojar en la leche. Corte la carne de trucha en dados y píquela junto con los panecillos remojados bien exprimidos. Deje enfriar 2 h. Condimente la mezcla de trucha con sal, pimienta y nuez moscada. Añádale las claras de huevo y vuelva a dejarla enfriar. • Dé un hervor al caldo de pescado. • Haga albóndigas con la masa de trucha y déjelas escalfar 10 min en el caldo. Escalfe unos momentos las gambas peladas. • Para la salsa ponga a dorar en la mantequilla la cebolla restante picada, añada los champiñones en rodajas finas, espolvoree con la harina; déjela dorar y vierta el caldo de pescado y el vino blanco. Deje hervir la salsa unos minutos y líguela con la mezcla de crema y yemas. Espolvoree con el eneldo o el perejil picados.

Lucioperca asado

La mantequilla y la crema impiden que el pescado se seque

Ingredientes
1 lucioperca, listo para cocinar, de 1 kg
el zumo de ½ limón
1 cucharadita de sal
1 pizca de pimienta blanca recién molida
1 diente de ajo
1 manojo de perifollo
4 cucharadas de mantequilla ablandada
2 patatas
¼ l de caldo de verduras
100 g de petit suisse natural
1 dl de crema de leche
1 manojo de perejil

Coste medio • Receta famosa

Por persona aproximadamente
2 320 kJ/555 kcal · 51 g de proteínas · 31 g de grasas · 15 g de hidratos de carbono

Tiempo de preparación:
40 minutos
Tiempo de horneado:
35 minutos aproximadamente

Lave el lucioperca cuidadosamente por dentro y por fuera y séquelo bien. Frote el pescado por dentro con el zumo de limón, la sal y la pimienta. • Precaliente el horno a 200°. • Pele el diente de ajo, píquelo finamente, espolvoréelo con un poco de sal y aplástelo. Lave el perifollo, sacúdale el agua y píquelo finamente. Mezcle la mantequilla con el ajo y el perifollo. Lave las patatas y pélelas. Deje hervir el caldo de verduras. • Rellene el lucioperca con las patatas, colóquelo en una fuente refractaria (las patatas dan cuerpo al pescado) y úntelo generosamente con la mantequilla al perifollo. • Ponga a hornear el lucioperca en la parte inferior del horno 35 minutos. Al cabo de 10 minutos vierta el caldo de verduras caliente sobre el pescado. A los 25 minutos unte el pescado con la mezcla de petit suisse y crema de leche. • Lave el perejil, sacúdale el agua, elimine los tallos y píquelo finamente. • Coloque el lucioperca en una fuente de servicio precalentada, rodéelo con un poco del jugo de asar y espolvoréelo con las puntas de eneldo. • Acompáñelo con espinacas frescas tiernas y pan de ajo recién tostado.

Lucioperca a la sal

Una forma de cocción tradicional y experimentada para pescados valiosos

Ingredientes para 8 personas:

| 1 lucioperca de unos 2 kg |
| 2 kg de sal gruesa |
| 8 claras de huevo |
| 60-70 g de harina |

Elaborada • Coste medio

Por persona aproximadamente
1 380 kJ/330 kcal · 68 g de
proteínas · 3 g de grasas · 9 g de
hidratos de carbono

Tiempo de preparación:
10 minutos
Tiempo de horneado: 1 hora

Destripe el lucioperca. • Lave el pescado sólo un momento bajo el chorro del agua fría. Frote con sal el interior y vuelva a lavarlo un poco. Seque el pescado con papel de cocina. • Bata un poco las claras y mézclelas con la sal y la harina. Corte un trozo de papel de aluminio muy fuerte del tamaño de la fuente de asar y vierta un poco de la mezcla de sal. Colo-

que encima el pescado de costado, doble hacia adentro las aletas. Ponga un trozo de papel de aluminio en la abertura de la tripa para que la sal no penetre. • Precaliente el horno a 250°. • Cubra el lucioperca con la pasta de sal sobrante. Ponga a asar el pescado en el centro del horno 1 hora. • Saque el pescado y colóquelo en una fuente grande ovalada. Quite la costra de sal dando pequeños golpes con un martillo o un cuchillo de hoja corta. Saque los filetes y colóquelos en platos precalentados. • Acompañe con una salsa holandesa (receta página 118), una salsa crema a las hierbas suave o picatostes recién fritos y una ensalada de lechuga.

Nuestra sugerencia: El lucioperca es uno de los pescados de agua dulce más nobles y cuando tiene mejor gusto es en otoño e invierno. Claro que en cualquier momento debería cocinarse estando muy fresco. El método de asado «a la sal» es, sin duda, el más adecuado para este valioso pescado. Al tener la envoltura hermética se conserva todo el aroma y la carne queda suave y jugosa. Nuestros antepasados remotos conocían ya un método parecido de asado hermético de pescado, es decir, el asado en barro, para lo cual se ponía la envoltura de barro sobre ascuas en un hueco y de este modo el pescado conservaba todo su valor nutritivo. La cocina moderna acaba de descubrir de nuevo el asado de los pescados nobles a la sal. En Francia se asan los pollitos a la sal, en América incluso los bistecs.

Sirva a sus invitados dos salsas diferentes para elegir (vea página 118).
Sería muy adecuada, por ejemplo, una salsa de mostaza y crema, muy fácil, que se prepara mezclando 3 cucharadas de mostaza semifuerte con escalonias finamente picadas y 1 vaso de crema de leche montada. Condimente la salsa con sal y pimienta blanca recién molida.

Pastel de salmón ruso

Una receta tradicional de tiempos pasados

Ingredientes para 6 personas:
Para el relleno:
100 g de sémola de trigo sarraceno o de trigo
¼ l de agua
1 cucharadita rasa de sal marina
1 dl de crema de leche agria
2 cebollas
200 g de champiñones
50 g de mantequilla
1 pizca de pimienta negra recién molida
1 cucharada de zumo de limón
2 cucharadas de perejil fresco finamente picado
200 g de salmón ahumado
4 huevos duros
Para la masa:
250 g de harina de trigo integral fresca
½ cucharadita de comino molido y ½ de cilantro en grano
50 g de harina de soja
1 pizca de sal marina
20 g de levadura de panadero

1 cucharadita de miel
¼ l de crema de leche agria
30 g de mantequilla
Para el molde: mantequilla

Receta integral • Elaborada

Por persona aproximadamente
2 175 kJ/520 kcal · 24 g de
proteínas · 26 g de grasas · 46 g
de hidratos de carbono

Tiempo de preparación: 1 hora
Tiempo de horneado:
35 minutos

Ponga a hervir la sémola con el agua y ½ cucharadita de sal 5 minutos a fuego lento. Retire después el recipiente del fuego y deje reposar la sémola 15 minutos tapada. • Mezcle la crema de leche agria con la sémola. • Pele las cebollas y píquelas finamente. Prepare los champiñones, límpielos y córtelos en rodajas finas. • Derrita la mantequilla en una sartén y do-

re en ella la cebolla. Añada los champiñones y sazone con el resto de sal y pimienta, añada el zumo de limón, 1 cucharada de perejil picado fino y deje cocer tapado, a fuego lento, 10 minutos, removiendo de vez en cuando. • Corte el salmón en dados pequeños. Mezcle los champiñones rehogados, los dados de salmón y el resto del perejil con la sémola. Pele los huevos. • Para la masa mezcle la harina con las especias, la harina de soja y la sal, haga un hueco en el centro, desmenuce en él la levadura y eche la miel por encima. Espere de 2 a 3 minutos, agregue entonces la crema de leche agria tibia y mezcle todo amasando hasta conseguir una masa lisa. Déjela fermentar en un sitio caliente al abrigo de las corrientes y tapada 15 minutos. • Extienda la masa con el rodillo sobre un mármol enharinado, dándole un grosor de 3 mm. Unte un molde rectangular. Aparte un poco de la masa para tapar el

molde. Coloque el resto de la masa en el molde, de forma que cubra el fondo y las paredes laterales. Recorte los bordes sobrantes. Ahueque un poco con un tenedor el relleno de alforfón y champiñones. Eche la mitad del relleno en el molde para cubrir el fondo y ponga encima los huevos, uno al lado del otro. Extienda el resto del relleno por encima. Haga en la tapa de masa 3 agujeros de unos 3 cm de diámetro. Ponga la masa encima del pastel y únalo bien por los bordes. Esparza sobre la superficie unos copitos de mantequilla. • Introduzca el pastel en el centro del horno frío. • Gradúe el horno a 200°. Deje hornear el pastel 30 minutos y otros 5 minutos con el horno desconectado. • Como mejor sabe el pastel de salmón es todavía caliente o recalentado.

Pastel de trucha

De consistencia delicada y gusto aromático suave

Ingredientes para 8 personas:

1 escalonia

1 cucharadita de mantequilla

500 g de filetes de trucha

½ cucharadita de sal

1 pizca de pimienta blanca recién molida y de nuez moscada recién rallada

40 g de pan de molde integral

¼ l de crema de leche

100 g de zanahorias lo más tiernas posible

15 a 20 hojitas de toronjil

100 g de quisquillas

2 claras de huevo

Para el molde rectangular de 1 l de capacidad: mantequilla

Elaborada

Por persona aproximadamente 855 kJ/205 kcal · 16 g de proteínas · 13 g de grasas · 5 g de hidratos de carbono

Tiempo de preparación: 1½ horas

Tiempo de cocción: 50 minutos

Pele la escalonia y píquela finamente. Caliente la mantequilla, dore en ella la escalonia removiendo y déjela luego enfriar. • Lave un poco con agua fría los filetes de trucha, séquelos, córtelos en tiras finas, esparza sobre ellos la sal, la pimienta y la nuez moscada y mézclelos con la escalonia. Puede reducir esta mezcla a puré en la batidora o pasarla dos veces por el disco más fino de la picadora de carne. Deje enfriar la farsa de pescado unos 20 minutos en el frigorífico. • Corte en dados el pan de molde, mójelo con la mitad de la crema y déjelo remojar en el frigorífico. • Raspe las zanahorias, lávelas, séquelas y córtelas en dados muy pequeños. Lave el toronjil y seque las hojitas. Quite a las quisquillas peladas el cordón intestinal, lávelas, déjelas escurrir y córtelas en trozos grandes junto con las de toronjil. • Bata firmemente la crema restante. • Bata las claras a punto de nieve y añádalas a la farsa de pescado, junto con el pan remojado y exprimido. Ponga la farsa en un cuenco dispuesto sobre otro con cubitos de hielo. Mezcle bien la masa, removiendo hasta que la farsa esté brillante. Seguidamente incorpórele la crema batida, a cucharadas. • Precaliente el horno a 125°. Unte el molde con mantequilla o cúbralo con papel de aluminio engrasado. Mezcle la farsa de pescado con las zanahorias, las quisquillas y el toronjil. Meta la masa en el molde y alísela. Cierre bien el molde con una tapadera o papel de aluminio doblado. • Ponga en una fuente agua calentada a 80°, introduzca el molde en este baño maría y deje cuajar en el horno 50 minutos. Es importante que la temperatura del agua se mantenga constante a 80°; lo mejor es comprobarlo con el termómetro de hornear. • Deje enfriar el pastel, y antes de servir, córtelo en rodajas del mismo grosor. Puede adornar al gusto cada rodaja con gelatina de vino blanco en dados, unas quisquillas y hojas de toronjil. Para la gelatina deberá calentar partes iguales de caldo de pescado o de verduras claro, y vino blanco seco. Añádale gelatina en polvo disuelta en agua fría o láminas de gelatina removiendo. Deje que el líquido cuaje en un recipiente durante 3 a 4 horas.

Trucha en gelatina de vino

Un banquete no sólo para la vista, también se regalará el paladar

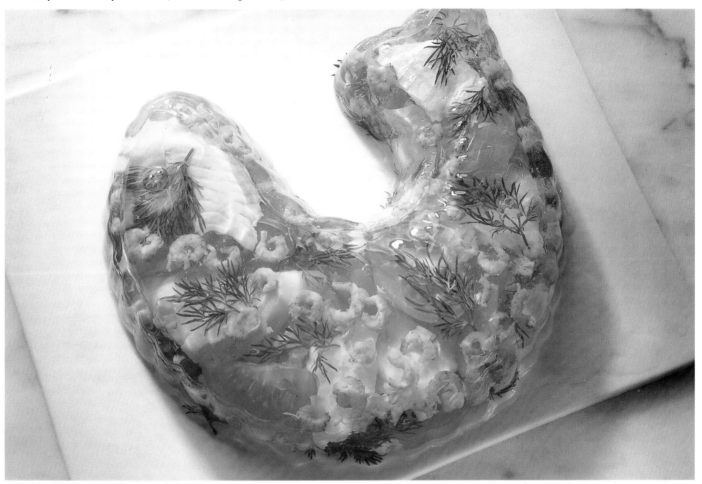

400 g de filetes de trucha
1 zanahoria
2 escalonias
1 apio nabo pequeño
1 puerro pequeño
1 tallo de apio
1 l de agua
1 pizca de sal y de pimienta blanca recién molida
1 hoja de laurel pequeña
6 láminas de gelatina
¼ l de vino blanco seco
1 pizca de pimentón dulce
200 g de quisquillas
1 cucharadita de zumo de limón
1 manojo de eneldo o perejil
2 tomates
unas hojas de lechuga

Muy elaborada

Por persona aproximadamente
945 kJ/225 kcal · 30 g de
proteínas · 2 g de grasas · 12 g
de hidratos de carbono

Tiempo de preparación:
1½ horas
Tiempo de cuajado: 4 horas

Despelleje los filetes (vea «La preparación correcta de los pescados», páginas 8 y 9), después lávelos y séquelos con el papel de cocina. • Raspe la zanahoria, pele las escalonias, limpie el apio nabo, el puerro y el apio. Lave las hortalizas, córtelas en trozos pequeños y déjelas cocer en el agua con una pizca de sal, otra de pimienta y la hoja de laurel 20 minutos a fuego lento. • Escalfe en este caldo los filetes de pescado a fuego muy lento 10 minutos. Saque después el pescado y déjelo enfriar. Ablande la gelatina en agua fría. • Pase el caldo de pescado y verduras por un tamiz y, si fuera necesario, aclárelo. Para ello caliente el caldo, añádale 2 claras de huevo batidas y hierva todo lentamente. Cuele después el caldo por una muselina. Aparte ¼ l de caldo, mézclelo con el vino y condimente con el resto de la sal, la pimienta y el pimentón. • Exprima la gelatina y disuélvala en el líquido caliente. Ponga en el fondo de un molde un poco de gelatina líquida y deje que se solidifique en el frigorífico. • Quite a las quisquillas, si fuera necesario, el cordón intestinal, lávelas después con agua fría, déjelas escurrir bien y rocíelas con el zumo de limón. Lave el perejil o eneldo, séquelo, divídalo en hojas y mézclelas con las quisquillas. Escalde los tomates en agua hirviendo, pélelos, pártalos por la mitad, quíteles las semillas y corte la carne en tiras regulares. • Desmenuce los filetes de pescado y póngalos en el centro del molde. Añada un poco de la gelatina y déjela cuajar en el frigorífico. • Coloque alrededor los gajos de tomate. Cubra con un poco de líquido gelatinoso y déjelo enfriar en el frigorífico. Rellene la parte exterior del molde con las quisquillas y las hierbas o distribúyalas como indica la foto. Vierta el resto del líquido gelatinoso de forma que todo quede cubierto. • Tape el molde con papel de aluminio y deje que la gelatina cuaje unas 4 horas en el frigorífico. • Lave las hojas de lechuga y dispóngalas en una fuente. Antes de volcar la gelatina cubra un momento el molde con un lienzo caliente.

Nuestra sugerencia: La gelatina clara de vino adquiere un color amarillo oro si añade un par de hebras de azafrán al caldo de pescado y vino. En lugar de este pescado y las quisquillas, puede emplear salmón y cangrejos de río con gelatina de vino. Para ello debe preparar la gelatina con un caldo de pescado y vino blanco. Ponga luego sobre un fondo de gelatina cuajada, repartida en moldecitos individuales, 3 cangrejos de río pelados y salmón en dados pequeños, adorne con hojas de perejil y cubra con el líquido gelatinoso.

Mousses de pescados ahumados

Pequeñas colaciones para la cena o entradas finas

Mousse de trucha

A la izquierda de la foto

---

5 láminas de gelatina

500 g de truchas recién

ahumadas · 1 petit suisse natural

½ dl de crema de leche

1-2 cucharadas de zumo de

limón · 1 lechuga

1 pizca de sal y de pimienta

blanca recién molida

1 endibia roja de Verona

3 cucharadas de vinagre de vino

blanco · 1 escalonia

1 cucharadita de mostaza fuerte

3 cucharadas de aceite

Elaborada

Por persona 1 800 kJ/430 kcal · 43
g de proteínas · 25 g de grasas · 7 g
de hidratos de carbono

Tiempo de preparación: 30 min
Tiempo de cuajado: 6 horas

Ponga a ablandar la gelatina 10 min en agua fría. • Quite a las truchas la piel y las espinas y redúzcalas a puré en la batidora. Mézclelas con el petit suisse, la crema de leche, el zumo de limón, la sal y la pimienta. Disuelva la gelatina, bien exprimida, en un cazo al baño maría, añádale un poco de la mezcla de trucha y mézclela con el resto, vuelva a salar. Coloque la mousse de truchas en el molde elegido, alísela y déjela por lo menos 6 h, o durante toda la noche, tapada en el frigorífico para que cuaje. • Limpie la lechuga y la endibia, separe las hojas, lávelas y déjelas escurrir. Bata el vinagre con la mostaza y el aceite. Pele la escalonia, píquela muy finamente y mézclela con la ensalada. • Disponga en el fondo de cuatro platos pequeños las hojas de lechuga y endibia, y rocíelas con el aliño. Con una cuchara mojada en agua caliente forme bolitas de la mousse y distribúyalas sobre la ensalada.

Mousse de caballa

A la derecha de la foto

---

1 caballa ahumada

200 g de queso crema

1 cucharada de petit suisse

natural · 2 escalonias

1 cucharada de crema de leche

1 pimiento rojo pequeño

1 manojo de cebollino

1 pizca de sal y de pimienta

blanca molida · el zumo de 1 limón

1 pizca de pimentón dulce

Fácil

Por persona aproximadamente
2 300 kJ/550 kcal · 38 g de
proteínas · 42 g de grasas · 4 g
de hidratos de carbono

Tiempo de preparación: 30 min
Tiempo de enfriado: 4 horas

Quite la piel y las espinas a la caballa, desmenuce en trozos grandes con un tenedor una de las mitades y reduzca la otra a puré en la batidora. Con una batidora de varillas mezcle bien el queso crema, el puré de caballa, el petit suisse y la crema de leche. Corte por la mitad el pimiento, quítele el pedúnculo, las semillas y las membranas, lávelo, séquelo y píquelo muy finamente, junto con la escalonia pelada. Lave los cebollinos, séquelos y córtelos finamente. Aparte unos daditos de pimiento para adornar, junto con una cucharada de rollitos de cebollinos. • Mezcle el pimiento, el cebollino y las escalonias restantes con la mousse de caballa. Condimente generosamente con la sal, la pimienta, el pimentón y el zumo de limón. Mezcle con los trozos de caballa. Vierta la mousse de caballa en moldecitos o flaneros y déjela enfriar 4 horas en el frigorífico. • Sirva la mousse adornada con los trocitos de pimiento y cebollino. • Acompáñela con pan blanco crujiente y un vino blanco bien frío.

Pescado con verduras en gelatina

El pescado en gelatina es un bocado exquisito para invitaciones veraniegas

3 escalonias · 150 g de puerros
150 g de zanahorias
2 cucharadas de soja o de
semillas · 200 g de pepino
400 g de filetes de rape o
gallineta
2 cucharadas de zumo de limón
1 cucharada de cubito de caldo
de verduras
4 cucharadas de vino blanco
seco · 100 g de quisquillas
2 cucharadas de estragón
finamente picado
3 cucharadas de vinagre de
estragón · 1,2 dl de agua
2 cucharadas de coñac y de salsa
de soja · 1 ramita de toronjil
1 cucharadita de agar-agar
(gelatina de algas)

Fácil

Por persona 1 090 kJ/250 kcal · 25 g de proteínas · 9 g de grasas · 16 g de hidratos de carbono

Tiempo de preparación: 30 min

Tiempo de cuajado: 2 horas

Pele las escalonias y píquelas. Prepare los puerros, lávelos y córtelos en rodajas. Raspe las zanahorias, lávelas, córtelas en rodajitas y rehóguelas en el aceite, con los puerros y las escalonias. Lave el pepino, córtelo en tiras y añádalo a las verduras. Corte el pescado en trozos gruesos, colóquelo sobre la verdura, rocíelo con el zumo de limón y vierta el cubito, el vino blanco y el estragón; deje cocer a fuego lento tapado 10 ó 15 min. • Lave las quisquillas peladas y mézclelas con el resto. Vierta todo en un cuenco de cristal. • Caliente el agua con el vinagre, el coñac y la salsa de soja. Añada, removiendo con la batidora de varillas el agar-agar, retire el cazo del fuego y deje reposar el caldo tapado 10 min. Viértalo después sobre las verduras y adorne con hojas de toronjil por encima. • Deje enfriar la gelatina.

Pescado ahumado con salsa de hierbas

Una buena ocasión para conocer el tofu

500 g de pescado ahumado
limpio, como caballa, trucha,
arenque y pez espada
200 g de tofu (queso de soja)
1,2 dl de agua
1 cucharadita de salsa de soja
1 cucharadita de mostaza
2 cucharaditas de alcaparras
1 cucharada de zumo de limón
1 cucharada de aceite de soja o
de semillas
2 cucharaditas de salsa de
manzana
2 cucharadas de mezcla de
hierbas picadas finas, como
eneldo, cebollino, estragón y
toronjil
si lo desea, pimienta negra recién
picada
½ limón · 1 tomate
unas ramas de hierbas
1 escalonia pequeña

Receta integral · Rápida

Por persona aproximadamente

1 485 kJ/355 kcal · 30 g de proteínas · 24 g de grasas · 6 g de hidratos de carbono

Tiempo de cocción: 15 minutos

Distribuya decorativamente los trozos de pescado en una fuente de servicio y póngalo a enfriar. • Bata en la batidora el tofu con el agua, la salsa de soja, la mostaza, las alcaparras, el zumo de limón, el aceite y la salsa de manzana, para reducirlo a puré. Pele la escalonia, píquela y añádala a la salsa, junto con las hierbas. Condimente la salsa de tofu con pimienta y déjela reposar unos minutos. • Vierta la mitad de la salsa sobre el pescado y sirva el resto aparte. Lave el limón, séquelo y córtelo en rodajas. Lave el tomate y córtelo en octavos. Adorne la fuente de pescado con las rodajas de limón, los gajos de tomate y las hierbas. • Acompañe con pan integral tostado o pan de centeno no demasiado oscuro.

Mejillones con salsa de tomate

Los mejillones se cuecen en la salsa ya preparada

2 kg de mejillones
1 cebolla grande
2 dientes de ajo
1 kg de tomates carnosos
4 cucharadas de aceite de oliva
3,5 dl de vino blanco seco
½ cucharadita de sal
1 pizca generosa de pimienta blanca recién molida
1 manojo de albahaca

Elaborada

Por persona aproximadamente
1 065 kJ/255 kcal · 14 g de proteínas · 7 g de grasas · 17 g de hidratos de carbono

Tiempo de cocción: 1 hora

Cepille los mejillones a conciencia bajo el chorro del agua fría y quíteles las barbas. Elimine los mejillones abiertos. • Pele la cebolla y los dientes de ajo y píquelos finamente. Pele los tomates, córtelos en cuatro trozos y elimine las semillas. Corte los tomates en dados. • Caliente el aceite en una cacerola grande y dore la cebolla y los ajos a fuego moderado, removiendo de vez en cuando. Añada el vino blanco y déjelo dar un hervor. Incorpore los dados de tomate y deje cocer con el recipiente tapado 20 minutos. • Condimente la salsa con la sal y la pimienta y déle otro hervor. Agregue los mejillones a la salsa, tape y cueza unos 8 minutos. Durante la cocción agite bien y varias veces la cacerola para que todos los mejillones cuezan uniformemente. • Lave la albahaca, sacúdale el agua y arranque las hojitas. • Coloque los mejillones en platos precalentados y esparza por encima las hojitas de albahaca. • Sirva con pan blanco recién tostado con mantequilla de ajo.

Mejillones con mayonesa de mostaza

Un refrigerio para acompañar el vino blanco seco

2 kg de mejillones
1 cebolla grande
1 hoja de laurel
1 taza escasa de agua
1 pizca de pimienta blanca recién molida
el zumo de ½ limón
3 yemas de huevo
1 cucharada de mostaza de Dijon
1 pizca de sal
4 cucharadas de aceite de semillas
1 cucharada de petit suisse natural
1 cucharada de crema de leche
1 manojo de estragón y perifollo frescos

Especialidad francesa

Por persona aproximadamente
2 300 kJ/550 kcal · 62 g de proteínas · 27 g de grasas · 15 g de hidratos de carbono

Tiempo de cocción: 40 minutos

Cepille los mejillones a conciencia bajo el chorro del agua fría y quíteles las barbas. Pele la cebolla, córtela en rodajas y póngala a hervir en una cacerola grande con el agua y la hoja de laurel. Eche en ella los mejillones con la pimienta y déjelos cocer, tapados, unos 8 minutos, agitando repetidamente el recipiente. • Deje enfriar los mejillones en la cacerola destapada (elimine los mejillones que no se hayan abierto). Coloque en una fuente las conchas que contienen la carne y rocíelas con el zumo de limón. Bata las yemas con la mostaza y la sal y añada el aceite gota a gota. Ponga la mayonesa en una salsera y mézclela con el petit suisse y la crema. Lave las hierbas, séquelas, píquelas y repártalas sobre los mejillones, junto con la mayonesa de mostaza. • Acompañe con pan blanco.

Vieiras con menestra de verduras

Para las cenas en que sirva exquisiteces ya preparadas

32 vieiras
1 pizca de sal
el zumo de ½ limón
½ manojo de eneldo y ½ de perejil
1 diente de ajo
2 escalonias
½ pimiento verde, ½ rojo y ½ amarillo · 2 tomates
1 pepinillo en vinagre
8 cucharadas de aceite
4 cucharadas de vinagre
1 pizca de sal y de pimienta blanca
1 copa de tequila (2 cl)
unas hojas de escarola o lechuga
1 lima · 1 ramita de eneldo

Especialidad mejicana

Por persona aproximadamente
2 260 kJ/540 kcal · 49 g de
proteínas · 25 g de grasas · 24 g
de hidratos de carbono

Tiempo de preparación: 40 min
Tiempo de marinada: 1 hora

Abra las vieiras y retíreles la carne y el músculo rojo. Hierva las vieiras 4 minutos en agua hirviendo salada y déjelas escurrir. • Ponga la carne de las vieiras en un cuenco y rocíelas con el zumo de limón. Lave el eneldo y el perejil, séquelos y píquelos finamente. Pele el ajo y las escalonias y píquelos también finamente. Quite a los pimientos los pedúnculos, membranas y semillas, lávelos y córtelos en dados finos. Pele los tomates, córtelos por la mitad y quíteles las semillas. Pique finamente la carne de los tomates y el pepino. Agregue las hierbas, junto con las verduras preparadas, a las vieiras y mezcle todo bien. • Bata el aceite con el vinagre, la sal y la pimienta. Incorpore la tequila al aliño de la ensalada. Vierta la salsa sobre las vieiras y mezcle con cuidado; deje reposar la ensalada 1 hora. • Disponga las vieiras con las verduras sobre las hojas de escarola o lechuga bien lavadas. Adorne con la lima en rodajas y el eneldo. • Es costumbre mejicana beber una tequila muy fría de aperitivo y acompañarla con gajos de lima.

Platos de pescado para invitados

Fondues, parrilladas y pescados
en escabeche componen esta
oferta, pero también ensaladas
finas y fuertes para muchos
comensales

Calamares rellenos

Un plato siempre bien recibido

Ingredientes para 8 personas:

16 calamares medianos de 150 g cada uno
1 manojo de perejil
100 g de champiñones
2 dientes de ajo
2 cebollas
400 g de ternera picada
1 huevo
1 limón pequeño
1 pizca de sal y de pimienta blanca recién molida
3 cucharadas de aceite de oliva
1,2 dl de caldo de carne caliente
1,2 dl de vino blanco seco
1 cucharada de maicena
1 frasco pequeño de alcaparras

Especialidad • Elaborada

Por persona aproximadamente
835 kJ/200 kcal · 18 g de
proteínas · 11 g de grasas · 4 g
de hidratos de carbono

Tiempo de preparación:
40 minutos
Tiempo de cocción: 20 minutos

Vacíe y prepare los calamares, lávelos y déjelos escurrir. Lave el perejil y píquelo finamente. Prepare los champiñones, lávelos y córtelos en dados. Pele el ajo y las cebollas y píquelos finamente. Mezcle la carne picada con tres cuartas partes del perejil, los champiñones, el ajo, la mitad de las cebollas y el huevo. Lave el limón con agua caliente, séquelo, ralle la cáscara, añádala a la carne picada y salpimente. • Rellene los calamares con esta mezcla. • Caliente el aceite en una sartén y fría en ella los calamares. Añada la cebolla picada restante y cubra con el caldo de carne y el vino. Deje cocer a fuego moderado unos 20 minutos. • Coloque los calamares rellenos en una fuente precalentada y consérvelos al calor. Espese el caldo de cocción con la maicena desleída en un poco de agua y deje dar un hervor. Añada el resto del perejil y las alcaparras a la salsa. Salpiméntela y viértala sobre los calamares rellenos. • Acompañe con pan.

Fondues de pescado como juegos culinarios sociales

La fondue sienta mejor con caldo caliente, los trozos de pescado se ponen doraditos en el aceite

Fondue de pescado con aceite

A la izquierda de la foto

Ingredientes para 6 personas:

300 g de filetes de rape
300 g de filetes de salmón
300 g de filetes de merluza
el zumo de 1 limón
1 pizca de sal · 1 limón
8 gambas grandes · 4 tomates
1 manojo de perejil · 1 l de aceite

Fácil

Por persona 1 820 kJ/435 kcal · 42 g de proteínas · 30 g de grasas · 1 g de hidratos de carbono

Tiempo de preparación: 30 min

Lave los filetes de pescado, séquelos, rocíelos con el zumo de limón y sazónelos ligeramente. Si fuese necesario, quite las espinas con unas pinzas. Deje enfriar los filetes unos minutos en el congelador. Pele las gambas, lávelas y séquelas. Corte los filetes de pescado en dados y colóquelos junto con las gambas en una fuente. ● Corte el limón lavado en gajos. Lave los tomates, séquelos, cuartéelos y retire los pedúnculos. Lave el perejil y distribúyalo en la fuente, junto con los gajos de limón y los tomates. ● Caliente el aceite en el recipiente de la fondue y manténgalo caliente sobre el hornillo. Para freír pinche los trozos de pescado con el tenedor de fondue y sumérjalos sólo un momento en el aceite caliente. Teniendo en cuenta que el pescado se deshoja con mucha facilidad, sería aconsejable utilizar cucharas de alambre de mango largo (pueden comprarse en tiendas especializadas en productos orientales). ● Sirva la fondue con una salsa de curry con plátanos, una salsa chili, mayonesa, pan blanco o arroz con azafrán y una ensalada verde.

Fondue de pescado con caldo de ave

A la derecha de la foto

Ingredientes para 6 personas:

500 g de filetes de lenguado
500 g de filetes de bacalao fresco
el zumo de 1 limón
2 pizcas de sal
8 gambas grandes
1 manojo de perejil
1 limón
1½ l de caldo de ave
1,2 dl de vino blanco seco
1 pizca de pimienta blanca recién molida

Fácil

Por persona aproximadamente 1 110 kJ/265 kcal · 37 g de proteínas · 3 g de grasas · 4 g de hidratos de carbono

Tiempo de preparación: 40 minutos

Lave los filetes de pescado bajo el chorro del agua fría, séquelos, rocíelos con el zumo de limón, sazónelos y córtelos en cuatro trozos. Pele y retire el cordón intestinal de las gambas. Lávelas con agua fría y colóquelas en una fuente junto con los filetes de pescado. Lave el perejil y séquelo. Corte el limón en gajos. Adorne los trozos de pescado y las gambas con los gajos de limón y el perejil. ● Caliente el caldo de ave en el recipiente de la fondue y póngalo sobre el hornillo. Añada el vino blanco y condimente el caldo con pimienta. ● Ponga a cocer, uno tras otro, los trozos de pescado y las gambas. Lo más adecuado para esta operación son las cucharas de alambre chinas. ● Las salsas más indicadas son la crema de raiforte, la mayonesa con tomate, pimienta y ajo. Acompañe con pan blanco. ● Sirva el mismo vino blanco que utilizó en el caldo.

Tarta de patatas y pescado

Queda garantizado el efecto sorpresa

Ingredientes para 8 personas:
750 g de patatas harinosas
5 cebollas · 50 g de mantequilla
500 g de champiñones, 500 g de tomates y 500 g de pepinos
800 g de filetes de abadejo o bacalao · 4 huevos
150 g de arenques desalados
1 cucharada de cubito de caldo de verduras
1 cucharadita de pimienta blanca
½ l de crema de leche agria
1 petit suisse natural
1 dl de crema de leche
4 cucharadas de zumo de limón
2 cucharadas de perejil picado
Para la placa: mantequilla

Fácil

Por persona 2 135 kJ/510 kcal · 34 g de proteínas · 29 g de grasas · 30 g de hidratos de carbono

Tiempo de preparación: 1 hora
Tiempo de horneado: 30 min

Deje hervir las patatas 30 min, pélelas y córtelas en rodajas • Pele las cebollas, píquelas y dórelas en la mantequilla. Prepare los champiñones, límpielos y córtelos en rodajas, añádalos a las cebollas y deje proseguir la cocción 5 min con el recipiente tapado. Añada los champiñones a las rodajas de patatas. • Lave los tomates y los pepinos, corte estas hortalizas en dados y añádalos a la mezcla de patatas y champiñones. Lave el filete de pescado y córtelo en dados de 1 cm, corte los arenques en tiras. Mezcle los trozos de pescado con las verduras. Rocíe con el caldo de verduras y sazone con un poco de pimienta. Bata la crema de leche agria, el petit suisse, la crema, los huevos, el zumo de limón, las hierbas y el resto de la pimienta. Precaliente el horno a 180°. Unte la placa con un poco de mantequilla. • Distribuya sobre ella las patatas y el pescado, vierta la mezcla de crema y deje hornear 30 min hasta que la tarta esté doradita.

Pan de pescado

Una receta verdaderamente original

200 g de pan de trigo integral
½ l de leche · 2 cebollas
200 g de zanahorias
200 g de champiñones
50 g de mantequilla
1 cucharadita de sal marina
1 pizca de pimienta blanca recién molida
2 cucharadas de perejil picado
500 g de filetes de bacalao o merluza · 4 huevos
1 cucharada de zumo de limón

Receta integral • Económica

Por persona aproximadamente 2 340 kJ/560 kcal · 41 g de proteínas · 22 g de grasas · 47 g de hidratos de carbono

Tiempo de preparación: 45 min
Tiempo de horneado: 15 min

Corte el pan en dados y póngalo en un cuenco. Deje hervir la leche y viértala sobre el pan. Deje remojar el pan tapado, removiéndolo de vez en cuando. • Pele las cebollas y píquelas. Raspe las zanahorias, lávelas y córtelas en dados pequeños. Prepare los champiñones, límpielos y córtelos en rodajas finas. • Ponga a derretir la mantequilla en una sartén y dore en ella la cebolla. Añada las zanahorias y rehóguelas. Incorpore al final los champiñones, sazone con ½ cucharadita de sal, la pimienta y la mitad del perejil y deje cocer a fuego lento, con el recipiente tapado 5 min. • Lave el pescado, séquelo y córtelo en dados de 1 cm, rocíelo con el zumo de limón y espolvoréelo con el resto de la sal. • Precaliente el horno a 200°. Cubra una placa de hornear con papel sulfurizado. • Mezcle los dados de pescado con las verduras y los huevos con la masa de pan. Extienda la masa muy fina por la placa y deje cocer en el centro del horno 10 a 15 min, hasta que esté bien doradita. • Esparza sobre el pan de pescado el resto del perejil y córtelo después en porciones.

Empanada de arenques

Una empanada especial

Ingredientes para 6 personas:
600 g de filetes de arenque
350 g de patatas harinosas
1 pizca de sal · 3 huevos duros
½ l de caldo de carne
100 g de arroz de grano largo
250 g de mantequilla y de harina
2 manojos de eneldo o perejil
1 pizca de pimienta blanca
1 yema de huevo
Para el molde: mantequilla

Especialidad finlandesa

Por persona aproximadamente
1 715 kJ/410 kcal · 15 g de
proteínas · 27 g de grasas · 26 g
de hidratos de carbono

Tiempo de preparación: 1 hora
Tiempo de horneado: 40 min

Ponga a desalar los filetes de arenque en agua 30 minutos. • Pele las patatas, cuartéelas y póngalas a cocer de 20 a 30 minutos en agua salada. • Ponga a cocer el caldo de carne con el arroz lavado, a fuego lento 20 minutos. • Escurra las patatas y páselas por el prensapatatas o aplástelas. Añádales la mantequilla en trocitos y la harina y amáselo todo hasta obtener una mezcla homogénea: déjela enfriar 10 minutos en el frigorífico. • Seque los filetes de arenque y córtelos en tiras. Pele los huevos, pique las claras finamente y aplaste las yemas con un tenedor. Lave el eneldo o perejil, séquelo y píquelo. • Extienda la masa de patatas sobre el mármol con un rodillo formando dos círculos, uno más pequeño que el otro. Precaliente el horno a 175°. Unte un molde redondo con mantequilla. • Cubra el fondo y las paredes del mismo con el disco más grande. Rellene el molde alternando con el arroz cocido, las tiras de arenque, el eneldo o perejil picado y los huevos majados. • Sazone con pimienta. Cubra el relleno con el trozo de masa más pequeño y una los dos bordes. Bata la yema de huevo y pincele la empanada con ella, haciendo después algunas incisiones con el tenedor. Ponga a cocer la empanada 40 minutos en el centro del horno. • Sírvala con una ensalada verde.

Pastel de trucha

Una variante con muchas posibilidades

Ingredientes para 6 personas:
Para la masa:
350 g de harina
125 g de mantequilla ablandada
1 yema de huevo
½ cucharadita de sal
4-8 cucharadas de agua fría
Para el relleno:
6 filetes de trucha frescos
200 g de filetes de platija o
lenguado
2 cebollas
1 cucharada de mantequilla
2 huevos
4 cucharadas de crema de leche
2 cucharadas de pan rallado
½ cucharadita de sal
1 pizca de pimienta recién
molida y de nuez moscada
rallada
3 filetes de trucha ahumada
1 manojo de perejil o eneldo
Para untar el molde: mantequilla

Elaborada

Por persona aproximadamente
1 945 kJ/465 kcal · 33 g de
proteínas · 22 g de grasas · 32 g
de hidratos de carbono

Tiempo de preparación:
1¾ horas
Tiempo de enfriado: mínimo,
5 horas
Tiempo de horneado: 1 hora
20 minutos

Ponga la harina en un cuenco, haga un hueco en el centro y reparta alrededor la mantequilla en dados fría. Meta la yema de huevo en el hueco, añada la sal y el agua y amase todo rápidamente con las manos frías. Forme una bola con la masa y déjela enfriar tapada un mínimo de 5 horas, preferiblemente toda la noche, en la nevera. Lave los filetes de trucha y platija, séquelos y córtelos en tiras finas. Pele las cebollas, píquelas finamente y dórelas en la mantequilla; déjelas enfriar. Pase las tiras de pescado por el disco fino de la picadora o redúzcalos a puré en la batidora. Mezcle el puré de pescado con los huevos, la crema de leche y el pan rallado, añada las cebollas y condimente con sal, pimienta y nuez moscada. Precaliente el horno a 200°. Unte con mantequilla un molde rectangular. • Extienda la masa con el rodillo sobre la superficie de trabajo y corte 2 rectángulos del tamaño del molde, uno mayor que el otro. Cubra el fondo y las paredes del molde con uno de los rectángulos, presionando bien, la masa debe sobresalir. Vierta la mitad de la mezcla de pescado en el molde y coloque encima los filetes de trucha ahumados. Lave el perejil o eneldo, séquelo, píquelo finamente y espárzalo sobre los filetes de trucha. Vierta encima el resto del relleno. Haga pequeñas incisiones en el rectángulo de masa pequeño y cubra el relleno con él. Pince los dos bordes de pasta fuertemente. Con la masa sobrante recorte adornos. • Separe la yema de la clara. Pincele los adornos de masa con clara de huevo ligeramente batida y colóquelos sobre el pastel. Pincele la superficie del pastel con la yema de huevo. • Deje cocer el pastel en la parte inferior del horno durante 1 hora y 20 minutos. • Puede servir el pastel de trucha frío o caliente. Acompáñelo con una ensalada de lechuga.

Nuestra sugerencia: Si filetea 3 truchas enteras, tenga en cuenta nuestras instrucciones para filetear pescados redondos de las páginas 8 y 9.

Tartas de pescado especiadas

Tartas especiadas con pescados; insólitas, pero muy buenas

Tarta de espinacas a la pescadora

A la izquierda de la foto

Ingredientes para 6 personas:

100 g de harina de trigo integral

50 g de harina de trigo sarraceno

100 g de margarina

200 g de requesón magro

3 huevos · 400 g de espinacas

sal marina y sal de hierbas

½ cucharadita de pimienta negra

1 pizca de nuez moscada rallada

600 g de filetes de bacalao o

merluza · 75 g de mantequilla

150 g de queso Emmental

rallado · 1/2 limón en zumo

1 manojo de rabanitos y perejil

Para el molde: mantequilla

Receta integral • Económica

Por persona 2 320 kJ/555 kcal ·
37 g de proteínas · 35 g de grasas ·
20 g de hidratos de carbono

Tiempo de preparación: 30 min

Tiempo de horneado: 40 min

Amase las dos harinas con la margarina, la mantequilla, el requesón, los huevos y las especias. • Lave las espinacas, selecciónelas y déles un hervor en agua salada hirviendo 1 ó 2 min, déjelas escurrir, píquelas e incorpórelas a la masa. • Lave el pescado y córtelo en dados de 1 cm, rocíelo con el zumo de limón, sálelo y mézclelo con la masa. • Precaliente el horno a 200°. Unte un molde de fondo desmontable de 28 cm de diámetro. • Extienda la masa y deje cocer en el horno 30 min. • Mezcle el queso rallado con el perejil y distribúyalo sobre la tarta junto con la mantequilla; deje hornear 10 min. • Deje reposar la tarta en el molde 10 min y adórnela después con los rabanitos y las hojas de espinaca.

Tarta de salmón con queso

A la derecha de la foto

Ingredientes para 6 personas:

4 huevos · 100 g de mantequilla

100 g de harina de trigo integral

200 g de requesón magro

1 cucharadita de sal de hierbas

1 pizca de nuez moscada rallada

150 g de salmón ahumado

400 g de filetes de bacalao

2 cucharadas de zumo de limón

½ cucharadita de sal

1 cucharada de eneldo o perejil

picado · 250 g de espinacas

250 g de queso mantecoso o

gouda · 2 pizcas de pimienta

100 g de queso Emmental

Para el molde: mantequilla

Para adornar: 100 g de salmón

ahumado en lonchas · 150 g de

queso crema un poco de eneldo

Receta integral

Por persona 2 780 kJ/665 kcal ·
51 g de proteínas · 43 g de grasas ·
14 g de hidratos de carbono

Tiempo de preparación: 1 hora

Tiempo de horneado: 35 min

Separe las claras de las yemas. Mezcle las yemas con la harina, la mantequilla, el requesón y las especias. Dé un hervor a las espinacas y píquelas, corte el salmón en trozos finos y mezcle ambos con la masa. • Corte en dados el filete de pescado; rocíelo con el zumo de limón y espolvoree sobre él la sal y el eneldo o perejil. • Ralle 150 g de queso mantecoso o gouda y corte el resto de éste y Emmental en tiras. Bata las claras de huevo a punto de nieve. Mézclelas con los dados de pescado y el queso rallado. Precaliente el horno a 200°. • Engrase un molde desmontable y llénelo con la masa. Eche por encima la mezcla de claras y las tiras de queso. • Deje hornear la tarta 35 min. • Deje reposar la tarta 10 min en el horno desconectado. • Rellene el salmón con el queso crema mezclado con el eneldo y colóquese sobre la tarta; adorne con el eneldo.

Arenques con manzanas

Asados en papel de aluminio son especialmente sabrosos

Filetes de lucio a la parrilla

Con mantequilla de limón son una combinación refrescante

8 arenques frescos listos para cocinar, de 150 g cada uno

2 cucharadas de zumo de limón

2 cebollas

4 manzanas

1 manojo de perejil

½ cucharadita de sal

1 pizca de pimienta blanca recién molida

4 cucharadas de mantequilla

Para untar el papel de aluminio: mantequilla

Económica • Fácil

Por persona aproximadamente 3 700 kJ/885 kcal · 51 g de proteínas · 60 g de grasas · 24 g de hidratos de carbono

Tiempo de cocción: 50 minutos

Precaliente a alta temperatura el grill eléctrico, el grill del horno o la parrilla de carbón vegetal. • Desespine los arenques, lávelos y séquelos. Unte con mantequilla 8 trozos de papel de aluminio. Abra los arenques por la mitad y rocíelos con el zumo de aluminio. Pele las cebollas y córtelas en rodajas. Lave las manzanas, séquelas, córtelas en cuatro trozos, quíteles el corazón y luego córtelas en láminas finas. Lave el perejil, séquelo sacudiéndolo y píquelo finamente. • Condimente los arenques con la sal y la pimienta, ponga en una mitad de los mismos las rodajas de cebolla y las manzanas. Espolvoree con el perejil. Reparta por encima la mantequilla en copitos. • Cierre los arenques, envuélvalos en el papel y déjelos asar 15 minutos por lado. • Acompáñelos con patatitas nuevas y cualquier tipo de ensalada.

4 filetes de lucio de 200 g cada uno

4 cucharadas de aceite y de zumo de limón

4 cucharaditas de menta fresca picada

1 pizca de pimienta blanca recién molida

½ cucharadita de sal

Para la mantequilla de limón:

125 g de mantequilla

1 cucharada de perejil picado

4 cucharadas de zumo de limón

1 pizca de sal y pimienta blanca recién molida

Para adornar:

4 ramitas de menta

Fácil

Por persona aproximadamente 2 110 kJ/505 kcal · 38 g de proteínas · 38 g de grasas · 3 g de hidratos de carbono

Tiempo de cocción: 30 minutos

Lave los filetes de pescado bajo el chorro del agua fría. Mezcle el aceite con el zumo de limón, la menta y la pimienta y unte los filetes con ello; déjelos reposar 10 minutos. • Ponga a derretir la mantequilla a fuego lento. Mézclela con el perejil, el zumo de limón, la sal y la pimienta. Ponga la mezcla a calentar batiéndola constantemente con la batidora de varillas, hasta poco antes del punto de ebullición. • Ase a la parrilla los filetes de 5 a 7 minutos por lado, sálelos y sírvalos adornados con las hojas de menta previamente lavadas. Sirva la mantequilla de limón aparte. Acompañe este plato con patatas asadas en papel de aluminio y ensalada de pepino.

Doradas a la parrilla

Un delicado regalo para el paladar

4 doradas de 400 g cada una
1 cucharada de sal · 1 pizca de azúcar
1 pizca de pimienta blanca
2 cucharaditas de zumo de limón
8 hojas frescas de salvia
1 cebolla mediana
1 cebolla mediana · 2 kiwis
1 pepinillo grande en vinagre
2 cucharadas de mantequilla
¼ l de caldo de verduras caliente
2 dl de crema de leche agria (200 g)
1 pizca de sal de hierbas
2 cucharadas de aceite de oliva
Para el papel de aluminio: aceite

Receta famosa

Por persona 2 800 kJ/670 kcal ·
75 g de proteínas · 30 g de grasas ·
25 g de hidratos de carbono

Tiempo de preparación: 30 min
Tiempo de cocción: 20 minutos

Lave los pescados por dentro y por fuera, séquelos y no los descame. Mezcle la sal, la pimienta, el zumo de limón y el azúcar y rocíe el interior de los pescados con esta mezcla. Lave las hojas de salvia y póngalas dentro de los mismos. ● Pele la cebolla y la fruta y córtelas en dados. Corte también en dados el pepinillo. ● Derrita la mantequilla y dore en ella la cebolla. Añada los dados de pepino y de frutas y vierta por encima el caldo de verduras. Deje que el líquido se reduzca un poco en la sartén destapada, añádale la crema de leche agria y condimente con la sal de hierbas. Conserve la salsa al calor. ● Precaliente la parrilla eléctrica o de carbón vegetal. Engrase un trozo grande de papel de aluminio con aceite y colóquelo sobre la parrilla. ● Pincele los pescados con aceite de oliva, colóquelos sobre el papel y déjelos asar 10 min por lado. Durante el proceso rocíelos repetidamente con aceite. Cuando falten 3 ó 4 min para finalizar la cocción retire el papel de aluminio y deje asar los pescados a un lado de la parrilla. Para comerlos debe retirar la piel con las escamas. ● Sírvalos con patatas envueltas en papel de aluminio asadas en carbón vegetal.

Broquetas de pescado multicolores

Mero y platijas asados a la parrilla con trozos de verdura y requesón de soja

Broquetas de mero y verduras

A la izquierda de la foto

Ingredientes para 6 personas:

1 kg de filetes de mero o rape

400 g de tofu (queso de soja)

3 cucharadas de aceite de sésamo · Unas hojas de toronjil

2 cucharadas de calvados

4 cucharadas de vino blanco seco

1 cucharada de salsa de soja

1 cucharada de salsa de manzana · 1 limón

2 cucharadas de romero fresco picado · ½ limón

1 cucharada de romero seco

1 pimiento rojo y otro verde

250 g de cebollas tiernas

Fácil

Por persona 1 295 kJ/310 kcal · 40 g de proteínas · 12 g de grasas · 9 g de hidratos de carbono

Tiempo de cocción: 35 minutos

Corte los filetes de pescado y el tofu en dados de 3 cm. Prepare una marinada con el aceite de sésamo, el calvados, el vino blanco, la salsa de soja y la salsa de manzana. Mézclela con ½ cucharadita de corteza de lima rallada. Exprima la lima y agregue su zumo y el romero a la marinada. Deje reposar en ella los dados de pescado y tofu. • Corte los pimientos en ocho trozos, lávelos y córtelos en dados de unos 3 cm. Pele las cebollas, córtelas en cuatro u ocho trozos y luego por la mitad en sentido transversal. Saque los dados de pescado y de tofu de la marinada e introduzca en ésta las verduras; déjelas reposar unos minutos. • Precaliente el grill o parrilla eléctrica. • Vaya ensartando todos los ingredientes, alternados con las hojas de toronjil y rodajitas finas de lima en 6 broquetas; déjelas asar sobre la parrilla a fuego muy vivo 10 min, pincelándolas con la marinada de vez en cuando.

Broquetas de platija y cigalas

A la derecha de la foto

Ingredientes para 6 personas:

12 filetes pequeños de platija o gallo · 12 cigalas

3 cucharadas de zumo de limón

6 cebollas pequeñas

6 tomates medianos

18 champiñones del mismo tamaño · ½ manojo de perejil

1 diente de ajo

2 cucharadas de mantequilla y de aceite · 1 pizca de sal

½ cucharadita de tomillo seco

1 pizca de pimienta de Cayena

Fácil

Por persona 1 755 kJ/420 kcal · 70 g de proteínas · 12 g de grasas · 8 g de hidratos de carbono

Tiempo de cocción: 40 minutos

Lave los filetes de platija o gallo y séquelos. Pele las cigalas. Lávelas y déjelas escurrir. Rocíe los filetes de pescado y las cigalas con el zumo de limón y déjelos reposar. • Pele las cebollas y póngalas a hervir 10 min en un poco de agua. • Corte los tomates por la mitad y prepare los champiñones. Lave el perejil y sacúdalo para desprender el agua. Pele el diente de ajo y páselo por el prensaajos. • Precaliente la parrilla eléctrica o de carbón vegetal. • Derrita la mantequilla en un cazo y mézclela con el aceite, el ajo, el tomillo molido, la sal y la pimienta de Cayena. • Corte las cebollas por la mitad. Cubra los filetes de platija con algunas hojitas de perejil y enróllelos, colóquelos en las broquetas alternándolos con las cigalas, las mitades de cebolla y de tomate y los champiñones. • Pincele las broquetas con aceite de hierbas y áselas a la parrilla 5 min por lado.

Pastel de trucha

Una variante con muchas posibilidades

500 g de sardinas · 1 berenjena
5 cucharadas de aceite de oliva
2 cucharadas de zumo de limón
2 cucharadas de coñac
1 cucharadita de tomillo fresco picado o ½ cucharadita de tomillo seco y romero
½ cucharadita de pimienta recién molida
1 cucharadita de sal marina
500 g de calabacines
2 cucharadas de harina de trigo integral · 4 tomates
½ cucharadita de semillas de hinojo molidas
20 g de mantequilla

Receta integral · Fácil

Por persona aproximadamente
1 465 kJ/350 kcal · 29 g de
proteínas · 17 g de grasas · 17 g
de hidratos de carbono

Tiempo de cocción: 40 minutos

Escame la sardinas, destrípelas. Mezcle en un cuenco 4
cucharadas de aceite de oliva, el
zumo de limón, el coñac, el tomillo, el romero, la pimienta y la sal.
Deje marinar las sardinas en él.
Lave la berenjena y los calabacines y córtelos en rodajas de 1 cm
de grosor. Lave los tomates y haga una incisión en forma de cruz
en la parte superior. • Mezcle la
harina con los granos de hinojo y
pase los pescados por esta harina.
Introduzca las rodajas de berenjena en la marinada y páselas también por la harina. • Precaliente
la parrilla. Cubra ésta con papel
de aluminio. • Ponga las sardinas
y las berenjenas sobre la parrilla.
Pase los calabacines por la marinada y póngalos sobre ésta. Coloque también los tomates, rocíelos
con el resto del aceite y salpiméntelos. Vierta la marinada sobrante
sobre los pescados y las hortalizas. Esparza sobre éstas copitos
de mantequilla. • Ase las sardinas
y las hortalizas a fuego moderado
5 minutos. Retire después los tomates y consérvelos al calor. Dé
la vuelta a las hortalizas restantes
y a las sardinas y áselas a la parrilla 5 minutos más. • Sirva con
una ensalada de patatas o arroz.

105

Arenques marinados con trigo

Escabechados de forma totalmente desusada

| 750 g de arenques salados (1 con huevas) |
| ½ l de agua · 2 hojas de laurel |
| 10 granos de pimienta blanca |
| 2 granos de pimienta de Jamaica |
| ½ manojo de hortalizas para el caldo · 3 escalonias |
| 1 cucharada de granos de mostaza · 1 petit suisse natural |
| 2 cucharaditas de eneldo seco |
| 75 g de trigo recién triturado |
| 4 cucharadas de vinagre de vino |
| 2 dl de crema de leche agria |
| ½ dl de crema de leche |

Receta integral • Económica

Por persona 1 840 kJ/440 kcal · 28 g de proteínas · 31 g de grasas · 12 g de hidratos de carbono

Tiempo de preparación: 30 min
Tiempo de marinada: 2 días

Remoje los arenques en agua 24 horas. • Quite las cabezas y las agallas, vacíelos y filetéelos. •

Ponga a hervir el agua con las hojas de laurel y los granos de especias 15 min, después cuélela y vuélvala a verter en la cacerola. • Prepare el manojo de hortalizas, lávelas y píquelas. Pele las escalonias, córtelas en rodajas finas y agréguelas al caldo junto con los granos de mostaza, el eneldo y el apio; deje dar un hervor. • Mezcle el trigo con el vinagre y la crema de leche agria, vierta la mezcla en el caldo y prosi-

min. Retire la cacerola del fuego y mezcle el petit suisse, la crema de leche y las huevas cortadas en trozos pequeños con la salsa. Deje enfriar la salsa un poco. • En un recipiente que pueda taparse alterne salsa con filetes de arenque. • Deje marinar los arenques 2 días bien tapados en el frigorífico. Pueden conservarse así una semana. • Acompáñelos con patatas cocidas con su piel.

Bocaditos suecos de arenque

Vale la pena preparar ración doble

| 500 g de arenques salados |
| 4 escalonias |
| ¼ l de agua |
| 1 cucharadita de hojas de té negro |
| 1,2 dl de vinagre de manzana |
| 2 hojas de laurel |
| 10 bayas de enebro |
| 5 granos de pimienta de Jamaica y de pimienta negra |
| 5 clavos |
| 2 cucharadas de aceite de oliva |

Fácil

Por persona aproximadamente 1 505 kJ/360 kcal · 25 g de proteínas · 27 g de grasas · 4 g de hidratos de carbono

Tiempo de desalado: 1 día
Tiempo de preparación: 30 minutos
Tiempo de marinada: 3 días

Ponga a remojar los arenques en agua abundante 24 horas.

• Quíteles al día siguiente las cabezas y las agallas, quíteles las tripas y filetéelos; corte luego los filetes a lo ancho en trozos de unos 4 cm. Pele las escalonias y córtelas en rodajas finas. • Ponga a hervir el agua, viértala sobre las hojas de té y deje reposar 5 minutos. Cuele el té, déjelo enfriar y viértalo en un recipiente que pueda cerrarse. • Añada el vinagre, las hojas de laurel, las bayas de enebro, los granos de pimienta, así como los clavos. Coloque los arenques de forma que queden cubiertos por la marinada. Vierta el aceite de oliva por encima. • Acompañe con patatas cocidas con su piel o pan integral con mantequilla.

Nuestra sugerencia: Deje marinar los bocaditos en el frigorífico 3 días. Se conservan frescos unos 15 días. Por ello, si cuenta con una reserva mayor, dispondrá siempre de un bocado sabroso para visitas inesperadas.

Arenques escabechados del vidriero

Siempre adecuados para enriquecer un bufet frío

Arenques al estilo del vidriero

A la izquierda de la foto

4 arenques salados de 250 g cada uno
¼ l de vinagre de vino y de agua · 150 g de azúcar
18 granos de pimienta de Jamaica · 1 trozo de raiforte
2 hojas de laurel pequeñas
2 cucharaditas de granos de mostaza · 3 zanahorias medianas
1 trozo de jengibre

Especialidad sueca

Por persona 2 845 kJ/680 kcal · 51 g de proteínas · 38 g de grasas · 31 g de hidratos de carbono

Tiempo de desalado: 1 hora
Tiempo de preparación: 25 min
Tiempo de marinada: 2-3 días

L ave los arenques y descámelos con la parte roma del cuchillo, corte las agallas, la cola y practique una incisión a lo largo de la tripa. Haga un corte entre la cabeza y el lomo, separe la cabeza del tronco y saque las tripas. Haga una incisión a lo largo del lomo. Esto permite colocar el arenque plano sobre la mesa. Quite la piel negra y elimine la espina central. • Ponga a desalar los arenques 1 hora o más, seguir su contenido en sal. • Para el escabeche hierva el vinagre con el agua, el azúcar, los granos de pimienta, las hojas de laurel y los granos de mostaza, hasta que el azúcar se haya disuelto. Deje enfriar. • Pele las cebollas y córtelas en rodajas. Raspe las zanahorias, lávelas y córtelas en rodajas. Pele el jengibre y el raiforte y píquelos. • Seque los arenques con papel de cocina, córtelos en tiras de 2 cm de ancho y póngalos junto con las hortalizas en un frasco de cristal. Vierta el escabeche frío por encima. Las verduras y los pescados deberán estar totalmente cubiertos por él. • Cierre el tarro de cristal y deje marinar los arenques de 2 a 3 días en el frigorífico. • Estos arenques son apropiados como entrada, servidos con rebanadas de pan blanco o patatas hervidas y fritas como plato principal.

Arenques al vino tinto

A la derecha de la foto

6-8 filetes de arenques «matjes» (unos 700 g)
5 cebollas
¼ l de vino tinto de Rioja
¼ l de vinagre
200 g de azúcar
5 granos de pimienta negra
2 clavos
4 bayas de enebro
1 trozo pequeño de jengibre
½ cucharadita de granos de mostaza
2 hojas de laurel

Económica • Fácil

Por persona aproximadamente 2 530 kJ/605 kcal · 30 g de proteínas · 40 g de grasas · 20 g de hidratos de carbono

Tiempo de desalado: 1 hora
Tiempo de preparación: 30 minutos
Tiempo de marinada: 2 días

R emoje los filetes de arenque según su contenido en sal. • Pele la cebolla y córtela en rodajas. • Para la marinada ponga a hervir el vino tinto con el vinagre, el azúcar y las especias hasta que el azúcar esté totalmente disuelto. Añada la cebolla y deje cocer 5 minutos a fuego lento. • Deje enfriar el líquido y póngalo luego en un frasco o tarro junto con los filetes de arenque. Los arenques deberán estar bien cubiertos por la marinada. • Deje reposar los arenques al vino en el frigorífico o en un lugar frío durante 2 días por lo menos. • Sírvalos con patatas hervidas con su piel o pan de centeno.

Mejillones marinados con tomates

Ligeros y digestivos, un acierto para los amantes de los moluscos

Arenques al eneldo

Para una reunión ensarte los arenques en pinchitos

1½ kg de mejillones o almejas
½ l de agua · 1 hoja de laurel
2 cucharaditas de sal
1 cucharadita de pimienta negra en grano
400 g de tomates pelados enlatados · 2 dientes de ajo
1 cebolla tierna
3 cucharadas de perejil picado
6 cucharadas de aceite de oliva
4 cucharadas de vinagre de vino tinto
1 pizca de sal y de pimienta negra recién molida
1 pizca de azúcar
1 pizca de pimienta de Cayena

Elaborada

Por persona 1 900 kJ/455 kcal · 46 g de proteínas · 22 g de grasas · 18 g de hidratos de carbono

Tiempo de preparación: 1½ h
Tiempo de marinada: 3-4 horas

Cepille los mejillones cuidadosamente bajo el agua y quíteles las barbas. Utilice sólo las conchas cerradas. • Ponga a hervir en una cacerola grande el agua, la sal, la hoja de laurel y los granos de pimienta. Añada los mejillones y déjelos abrir a fuego muy vivo y tapados unos 3 ó 5 min. Agite el recipiente de vez en cuando. • Saque los mejillones o almejas del caldo. Quite la hoja de laurel. Deje escurrir el líquido de los tomates (resérvelo para otro plato) y córtelos en trozos gruesos. Pele los dientes de ajo y píquelos finamente. Pele la cebolla y píquela groseramente. Mezcle los tomates con el ajo, la cebolla y el perejil. Añada el aceite y el vinagre. Condimente con la sal, la pimienta, el azúcar y la pimienta de Cayena. • Vierta la preparación sobre los mejillones todavía templados y sin sus conchas, mezcle bien y deje marinar en el frigorífico de 3 a 4 horas.

4 arenques «matjes» (ligeramente salados)
¼ l de vinagre
¼ l de vino blanco
200 g de azúcar
2 hojas de laurel
1 cebolla grande
2 manojos de eneldo

Fácil

Por persona aproximadamente 2 905 kJ/695 kcal · 26 g de proteínas · 36 g de grasas · 56 g de hidratos de carbono

Tiempo de preparación: 45 minutos
Tiempo de reposo: 1 día

Corte los arenques por el lado de la tripa y extraiga ésta, elimine la piel oscura del interior. Haga un corte en el lomo con un cuchillo afilado, quite la piel desde la cabeza, corte ésta y la cola. Quite la espina central de la cola a la cabeza. Deje reposar los filetes 30 minutos cubiertos de agua fría. • Ponga en una cacerola el vinagre, el vino y el azúcar, añada las hojas de laurel y dé un hervor hasta que el azúcar se haya disuelto totalmente. Deje enfriar el caldo. • Pele la cebolla y córtela en rodajas. Lave el eneldo, séquelo y píquelo finamente. • Saque los filetes de arenque del agua, lávelos un poco y séquelos, después trocéelos. Ponga los trozos de arenque, las rodajas de cebolla y el eneldo en un frasco o recipiente de cristal, cúbralos con el caldo frío y déjelos reposar por lo menos 24 horas tapados en un lugar frío. • Sírvalos con patatas cocidas con su piel o pan de centeno y cerveza fría o un aguardiente helado.

Nuestra sugerencia: Estos arenques se conservan frescos varios días, tapados en un frasco de cristal en el frigorífico.

Caballa al enebro

Algo exquisito para reuniones informales

Arenques fritos escabechados

Para una deliciosa comida veraniega al aire libre

4 caballas frescas (fileteadas en la pescadería con su piel)
12 bayas de enebro
1 cucharadita de sal gruesa
1 cucharadita de pimienta negra recién molida y de pimienta blanca
1 pizca de azúcar
unas hojas de lechuga
1 limón
½ manojo de perejil

Fácil • Económica

Por persona aproximadamente
1 965 kJ/470 kcal · 47 g de
proteínas · 29 g de grasas · 5 g
de hidratos de carbono

Tiempo de preparación:
30 minutos
Tiempo de marinada: 1 día

Lave los filetes de caballa y séquelos. Maje las bayas de enebro en el almirez y mézclas con la sal, la pimienta y el azúcar.

Corte papel sulfurizado: el doble de ancho que los filetes y un poco más largo. Coloque encima los filetes de caballa con la piel hacia abajo y rocíelos con la mezcla de especias. Junte los extremos del papel por encima y enróllelos. Coloque los filetes muy juntos uno al lado del otro en una fuente y déjelos reposar durante la noche. • Corte la carne separándola de la piel. Lave las hojas de lechuga, sacúdales el agua y tapice con ellas una fuente. Lave el limón, séquelo y córtelo en rodajas. Lave el perejil y sacúdale el agua. Distribuya los filetes de pescado con las rodajas de limón y el perejil sobre las hojas de lechuga. • Acompañe con pan de molde tostado con mantequilla y una mayonesa a la mostaza ligera.

8 arenques frescos pequeños listos para cocinar
4 cucharadas de zumo de limón
2 cebollas
3,5 dl de agua
¼ l de vinagre
1½ cucharaditas de sal
½ cucharadita de pimienta negra en grano
1 hoja de laurel
200 g de azúcar
6 cucharadas de harina
4 cucharadas de aceite

Económica

Por persona aproximadamente
3 450 kJ/825 kcal · 36 g de
proteínas · 47 g de grasas · 65 g
de hidratos de carbono

Tiempo de preparación:
40 minutos
Tiempo de marinada: 1 día

Lave los arenques, séquelos, rocíelos con el zumo de limón

y déjelos reposar 10 minutos. • Pele las cebollas y córtelas en rodajas. • Ponga a hervir en una cacerola la mitad del agua con el vinagre, 1 cucharadita de sal, los granos de pimienta, la hoja de laurel, el azúcar y la cebolla hasta que el azúcar se haya disuelto totalmente. Añada, después, el resto del agua y deje enfriar el caldo. • Mezcle la harina con el resto de la sal. Pase los arenques por ella. Caliente el aceite en una sartén y fría en ella los arenques 5 minutos por lado. • Coloque los pescados en una fuente alargada, cúbralos con el escabeche y consérvelos tapados 24 horas en un lugar fresco. Sírvalos con patatas hervidas y después fritas y zanahorias y manzanas ralladas.

Nuestra sugerencia: Los arenques fritos escabechados se conservan frescos tapados con papel de aluminio en el frigorífico 5 días.

Pescados marinados con verduras

Un acierto para aquellos que desean probar cosas nuevas

Pescado con tofu y calabacines

A la izquierda de la foto

| 4 cucharadas de aceite de oliva |
| 2 cucharadas de cubito de caldo de verduras · ½ pimiento rojo |
| 250 g de tofu (queso de soja) |
| 4 cucharadas de zumo de manzana natural · 3 escalonias |
| 250 g de filetes de rape |
| 1 cucharada de zumo de limón |
| 1 cucharadita de pimienta rosa en grano · 500 g de calabacines |
| 1 cucharada de romero picado |
| 1 cucharadita de romero seco |
| 4 cucharadas de vinagre de manzana |

Fácil

Por persona 1 085 kJ/260 kcal · 19 g de proteínas · 15 g de grasas · 12 g de hidratos de carbono

Tiempo de preparación: 30 min
Tiempo de marinada: 5 horas

Pele las escalonias, córtelas en rodajas y dórelas en el aceite. Corte los calabacines en dados y rehóguelos con las escalonias en una cacerola. Vierta por encima 1 cucharada del cubito de caldo de verduras. Corte el pimiento, en tiras y agréguelo al recipiente. Corte el tofu en dados y añádalo con el zumo de manzana. Lave el pescado y agréguelo a la cacerola y rocíe con el zumo de limón. Deje cocer con el recipiente tapado 10 min. • Condimente con los granos de pimienta machacados y el romero. Vierta todo en un recipiente que pueda taparse y condiméntelo con el resto del cubito y el vinagre. • Una vez frío, deje reposar en el frigorífico.

Caballa con verduras

A la derecha de la foto

| 500 g de caballa |
| 1,2 dl de agua y de vino blanco |
| 1 cucharada de zumo de limón |
| ½ cucharadita de pimienta blanca · 1 hoja de laurel |
| 2 cucharaditas de salvia picada o 1 cucharadita de salvia seca |
| 2 cebollas · 200 g de puerros |
| 200 g de zanahorias y de calabacines · 1 pimiento rojo |
| 3 cucharadas de aceite de girasol |
| 1 cucharada de cubito de caldo de verduras · 250 g de tomates |
| 1 pizca de mezcla de especias para pescado |
| 1 cucharada de levística fresca picada o seca |
| 3 cucharadas de vinagre de vino blanco · 1 cucharada de perejil |
| 1 cucharada de salsa Worcester |

Fácil • Económica

Por persona 1 190 kJ/285 kcal · 46 g de proteínas · 7 g de grasas · 10 g de hidratos de carbono

Tiempo de preparación: 50 min

Tiempo de marinada: 1 día

Lave y limpie las caballas. Ponga a hervir los despojos 20 minutos con el agua, el vino y la hoja de laurel. • Rocíe el pescado con el zumo de limón, sazone con la pimienta y esparza en el interior la salvia. • Lave y corte las hortalizas en rodajas y tiras. • Ponga a dorar en el aceite las rodajas de cebolla. Rehogue el resto de las hortalizas 5 min. Corte los tomates y añádalos a las hortalizas junto con el caldo, la mezcla de especias y la levística. Cuele el caldo de pescado por encima y deje hervir 10 min. • Ponga el pescado sobre las verduras con la piel hacia arriba y déjelo cocer 10 min, quítele después la piel, las espinas y trocéelo. • Mezcle con cuidado las hortalizas con el vinagre, la salsa Worcester, los trozos de pescado y el perejil. Deje marinar en frío 1 día.

Rodajas de pescado escabechadas

Sugerencias para invitar a un grupo numeroso

Rodajas de pescado escabechadas al estragón

A la izquierda de la foto

Ingredientes para 8 personas:

8 rodajas de bacalao o merluza de 250 g cada una · 3,5 dl de agua

3 hojas de laurel pequeñas

1 cucharadita de sal

8 granos de pimienta

2 cucharaditas de granos de mostaza · 1 cucharada de azúcar

6 cucharadas de vinagre de estragón · 3 zanahorias

300 g de escalonias

300 g de champiñones pequeños

½ cucharadita de pimienta blanca · 1 manojo de perejil

4 cucharadas de semillas

3 ramitas de estragón fresco

Elaborada

Por persona 1 190 kJ/285 kcal · 46 g de proteínas · 7 g de grasas · 10 g de hidratos de carbono

Tiempo de preparación: 40 min
Tiempo de marinada: 1 día

Lave las rodajas de bacalao o merluza. Lleve a ebullición el agua con las hojas de laurel y las especias. Cueza 10 min las zanahorias raspadas, sáquelas y déjelas enfriar. ● Añada al caldo el vinagre y el pescado. Escálfelo a fuego lento 8 ó 10 min y sáquelo después. ● Corte las zanahorias en rodajas. Prepare las escalonias y los champiñones y córtelos en rodajas. Rocíe los champiñones con un poco de vinagre de estragón. ● Pase el caldo de pescado por un colador y añada la verdura preparada junto con el perejil picado. Sale el caldo. ● Coloque el pescado en un recipiente no muy hondo. Distribuya alrededor la marinada con las verduras. Rocíe con el aceite y coloque el estragón encima. ● Deje reposar el pescado 1 día en el frigorífico cubierto con plástico.

Rodajas de merluza escabechadas

A la derecha de la foto

Ingredientes para 8 personas:

8 rodajas de merluza de 250 g cada una

4 cucharadas de harina

1,2 dl de aceite

2 cebollas y 2 zanahorias grandes

3 dientes de ajo

2 hojas de laurel

½ cucharadita de tomillo seco

¼ l de agua

3,5 dl de vinagre de hierbas

3 cucharadas de azúcar

3 cucharaditas de sal

½ cucharadita de pimienta negra en grano

20 aceitunas rellenas

Elaborada

Por persona aproximadamente

1 715 kJ/410 kcal · 46 g de proteínas · 17 g de grasas · 16 g de hidratos de carbono

Tiempo de preparación: 1 hora
Tiempo de marinada: 2 días

Lave las rodajas, séquelas, páselas por la harina y fríalas en 4 cucharadas de aceite 4 minutos por lado. ● Corte las cebollas peladas en rodajas y las zanahorias raspadas en tiras. Pique los dientes de ajo finamente. Limpie la sartén. Dore la cebolla y el ajo en el resto del aceite. Añada las tiras de zanahorias, las hojas de laurel y el tomillo desmenuzado. Vierta luego el agua, el vinagre, el azúcar, la sal y los granos de pimienta. Deje cocer 5 minutos a fuego lento y vierta después sobre las rodajas de pescado. ● Deje reposar las rodajas de pescado tapadas en un sitio frío. ● Corte las aceitunas por la mitad y dispóngalas sobre el pescado antes de servir.

Ensaladas con pescados ahumados

Pruébelas, siempre tienen éxito

Ensalada de arenques ahumados con pasta

A la izquierda de la foto

Ingredientes para 8 personas:
500 g de macarrones o coditos integrales · 1 cucharada de sal
500 g de pimientos verdes
500 g de tomates
400 g de pepinillos en vinagre
2 cebollas blancas y rojas
100 g de aceitunas negras
500 g de arenques ahumados
2 cucharadas de aceite de oliva y 2 de girasol
4 cucharadas de vinagre de vino tinto y de salsa de soja
1 cucharadita de pimienta negra y de sal marina
3 cucharadas de cebollino y de perejil picados

Receta integral

Por persona 2 090 kJ/500 kcal · 26 g de proteínas · 21 g de grasas · 52 g de hidratos de carbono

Tiempo de preparación: 25 min
Tiempo de marinada: 30 minutos

Cueza los macarrones en 2 l de agua salada unos 10 minutos, después viértelos en un colador y páselos por agua fría. • Corte los pimientos en ocho trozos y después en tiras finas. Lave los tomates y córtelos en rodajas. Corte en dados gruesos los pepinillos en vinagre. Pele las cebollas y córtelas en aros finos. Corte las aceitunas en trozos gruesos. Quite al pescado las cabezas, la piel y las espinas y trocéelo. • Vierta los macarrones bien escurridos con los ingredientes ya preparados en un cuenco. • Añada el aceite y el vinagre junto con las hierbas y mezcle la ensalada con cuidado. • Deje reposar la ensalada de arenques ahumados 30 minutos, como mínimo.

Ensalada de caballa y judías verdes

A la derecha de la foto

Ingredientes para 8 personas:
2 cucharaditas de cubito de caldo de verduras
1 cucharadita de pimienta negra
½ cucharadita de comino molido y de cilantro
½ cucharadita de mezcla de especias para pescados
200 g de espelta molida
2 cucharaditas de ajedrea en polvo
4 cebollas · 1 kg de tomates
500 g de caballa ahumada
2 cucharadas de aceite de oliva
2 cucharadas de vinagre de manzana · 1 kg de judías tiernas
1 cucharadita de sal de hierbas
3 cucharadas de cebollino y perejil picado

Receta integral

Por persona 1 340 kJ/320 kcal · 20 g de proteínas · 11 g de grasas · 35 g de hidratos de carbono

Tiempo de preparación: 1 hora
Tiempo de marinada: 30 minutos

Poner a hervir el cubito de caldo con ½ l de agua y la mitad de las especias. Deje cocer 10 min la espelta molida. Retire la cacerola del fuego y deje reposar 10 min, déjelo enfriar y ahuéquelo con un tenedor. • Prepare las judías, límpielas y córtelas en trozos, póngalas a hervir en poca agua con la mitad de la ajedrea 20 min. • Pele las cebollas y córtelas en aros finos. Lave los tomates, córtelos en trozos y póngalos con las judías cocidas y la espelta molida en un cuenco o ensaladera; espolvoree con las especias restantes. • Quite a los pescados las cabezas, la piel y las espinas, desmenúcelos y añádalos a la ensalada, junto con el aceite, el vinagre, la sal de hierbas y las hierbas. Déjela reposar 30 min.

Ensaladas con crustáceos para reuniones

Ensaladas muy solicitadas por los gourmets

Ensalada de quisquillas con arroz

A la izquierda de la foto

Ingredientes para 10 personas:

1 l de agua · 400 g de gambas
½ cucharadita de sal
100 g de arroz de grano largo
100 g de almendras en tiras
200 g de gajos de mandarina enlatados
500 g de mayonesa ligera
1,2 dl de crema de leche espesa
4 cucharadas de zumo de limón
1 cucharada de mostaza semifuerte · Jengibre recién rallado
3-4 cucharaditas de curry en polvo
¼ de cucharadita de rizoma de 1 pizca de azúcar · 2 manzanas
125 g de pepinillos en vinagre

Fácil

Por persona 1 800 kJ/430 kcal · 10 g de proteínas · 34 g de grasas · 22 g de hidratos de carbono

Tiempo de preparación: 45 min
Tiempo de marinada: 1 hora

Ponga a hervir el agua con la sal. Cueza en ella el arroz, a borbotones, 12 ó 15 min, viértalo después en un colador, lávelo con agua fría y déjelo escurrir. • Pele las quisquillas, lávelas con agua fría y déjelas escurrir. • Tueste las almendras en una sartén seca y déjelas enfriar. Escurra las mandarinas. • Mezcle la mayonesa con la crema de leche, el zumo de limón, la mostaza, el curry, el jengibre y el azúcar. Lave las manzanas, cuartéelas, quíteles el corazón, córtelas en láminas finas y mézclelas con la salsa de la ensalada. Corte los pepinillos en tiras finas y mézclelos con la mayonesa de manzana, junto con el arroz, las mandarinas y las gambas. • Deje reposar la ensalada tapada 1 h en el frigorífico. • Antes de servir añádale las almendras.

Ensalada de quisquillas y pepinos

A la derecha de la foto

Ingredientes para 8 personas:

800 g de quisquillas
1 cucharadita de sal
50 g de tocino ahumado en 4 lonchas finas · 1 pepino
2 cucharadas de aceite
1 manojo de perejil o eneldo
2 cucharaditas de mostaza semifuerte
½ cucharadita de pimienta blanca · 8 hojas de lechuga
3 cucharadas de vinagre de estragón
8 cucharadas de aceite de girasol

Coste medio • Fácil

Por persona 1 045 kJ/250 kcal · 18 g de proteínas · 20 g de grasas · 2 g de hidratos de carbono

Tiempo de preparación: 1¼ h

Deje hervir 5 minutos las quisquillas en agua salada, hirviendo a borbotones, escúrralas y déjelas enfriar. • Fría el tocino en el aceite y deje que escurra la grasa sobre papel absorbente. Desmenuce el tocino escurrido. Pele el pepino, córtelo por la mitad a lo largo, saque las semillas con una cucharilla y corte las mitades del pepino en rodajitas de 1 cm de grosor y mézclelas con el tocino. Lave el perejil o el eneldo, píquelo y espárzalo sobre los pepinos. Mezcle la mostaza con 1 pizca de sal, la pimienta y el vinagre. Añada el aceite en forma de chorrito y mezcle con la batidora de varillas. • Pele las quisquillas, elimine el cordón intestinal y añádalas a la mezcla de pepinos y tocino. Mezcle con el aliño. • Deje reposar la ensalada 10 min. • Lave las hojas de lechuga, sacúdalas y coloque la ensalada encima de ellas.

Ensalada de arroz con pescado

Una ensalada refrescante y nutritiva para un bufet frío

Ensalada de judías y pez espada

Una combinación colorida

Ingredientes para 8 personas:

200 g de arroz integral
½ l de agua
1 cucharadita de sal
600 g de filetes de merluza o bacalao
4 cucharadas de zumo de limón
2 cebollas rojas
250 g de pepino
250 g de tomates
250 g de manzanas ácidas
3 cucharadas de aceite de sésamo o de soja
2 cucharaditas de sal de hierbas
1 cucharadita de mezcla de especias para pescado
4 cucharadas de perejil o eneldo picado
2 cucharadas de cebollino picado

Receta integral • Fácil

Por persona aproximadamente 985 kJ/235 kcal · 17 g de proteínas · 7 g de grasas · 28 g de hidratos de carbono

Tiempo de preparación: 1 hora
Tiempo de reposo en aliño: 1 hora

Ponga a cocer el arroz con el agua salada, a fuego lento y con el recipiente tapado, 30 minutos. • Lave el pescado, rocíelo con 1 cucharada de zumo de limón, póngalo encima del arroz y deje proseguir la cocción otros 10 minutos con la cacerola tapada. • Desmenuce el pescado. Pele las cebollas y córtelas en rodajas finas. Pele el pepino, si lo desea, y córtelo en dados. Lave los tomates, quíteles los pedúnculos y córtelos en rodajas. Cuartee las manzanas, quíteles el corazón y córtelas en dados. • Ponga los ingredientes preparados en un cuenco o ensaladera grande y rocíelos con el aceite y el resto del zumo de limón. Añada la sal de hierbas, la mezcla de especias y las hierbas y mezcle la ensalada cuidadosamente. • Déjela reposar durante 1 hora.

Ingredientes para 10 personas:

100 g de judías blancas, 100 de judías negras y 100 de judías rojas azuki
2 l de agua · 1 hoja de laurel
2 cucharadas de cubito de caldo de verdura
500 g de judías verdes
2 cebollas rojas y 2 blancas
500 g de pimientos verdes
500 g de tomates carnosos
500 g de pez espada ahumado
4 cucharadas de aceite de girasol
6 cucharadas de vinagre de manzana
1 pizca de pimienta negra recién molida
2 cucharaditas de sal de hierbas
2 cucharaditas de pimentón dulce
2 cucharaditas de mezcla de hierbas provenzales
3 cucharadas de perejil picado

Receta integral

Por persona 1 295 kJ/310 kcal · 18 g de proteínas · 17 g de grasas · 22 g de hidratos de carbono

Tiempo de remojo: 12 horas
Tiempo de preparación: 1 hora
Tiempo de reposo: 30 minutos

Ponga a remojo durante toda la noche las judías secas. • Póngalas después a hervir en 1 l de agua fresca con la hoja de laurel y el cubito de caldo de verdura 10 min. Lave las judías verdes, quíteles las hebras, córtelas en trozos y póngalas a hervir con el resto de las judías otros 30 min a fuego lento. • Ponga a escurrir las judías en un colador. Pele las cebollas y córtelas en rodajas. Limpie los pimientos, lávelos y córtelos en tiras. Lave los tomates, séquelos y córtelos en trozos. Corte el pez espada en trozos. Prepare un aliño con el resto de los ingredientes. Mezcle los ingredientes de la ensalada. Añádales el aliño. Deje reposar la ensalada 30 min.

Ensalada holandesa de patatas y pescado

De sabor delicado, llena mucho

Ingredientes para 10 personas:
300 g de apio
300 g de endibias
800 g de patatas cocidas
250 g de queso holandés en 2 lonchas gruesas
800 g de trucha ahumada
1,2 dl de aceite de semillas
1 cucharada de mostaza semifuerte
5 cucharadas de vinagre
1 cucharadita de azúcar
1 cucharadita de pimienta blanca recién molida
½ cucharadita de sal
4 cebollas
2 cucharadas de alcaparras pequeñas
1 manojo de perejil
1 manojo de cebollino
4 huevos duros

Fácil

Por persona aproximadamente
1 730 kJ/410 kcal · 31 g de
proteínas · 23 g de grasas · 19 g
de hidratos de carbono

Tiempo de preparación:
35 minutos

Quite los hilos al apio y las hojas verdes, y corte los tallos. Lávelos y córtelos en rodajitas finas. Lave la endibia y córtela en rodajas. Pele las patatas y córtelas en dados. Corte el queso en tiras finas y el pescado en tiras estrechas. Mezcle con cuidado todos los ingredientes preparados en una ensaladera grande. • Prepare un aliño picante con el aceite, la mostaza, el vinagre, el azúcar, la pimienta y la sal. Pele las cebollas y píquelas finamente. Corte las alcaparras groseramente. Lave el perejil y los cebollinos, séquelos y píquelos finamente. Mézclelos con el aliño y con los ingredientes de la ensalada. • Pele los huevos, córtelos en ocho trozos y adorne con ellos la preparación.

Exquisitas ensaladas de pescado con frutas

Si se decide por el arroz, servirá una verdadera exquisitez

Ensalada de pescado
Astoria (Arriba de la foto)

Ingredientes para 10 personas:
500 g de apio nabo · Sal
4 cucharadas de zumo de limón
1 kg de filetes de merluza o
pescadilla · 100 g de pasas
1 kg de manzanas · Sal de hierbas
8 dl de crema de leche agria
1 cucharada de miel
2 cucharadas de mostaza
100 g de avellanas
3 cucharadas de perejil picado
5 cucharadas de mayonesa ligera

Económica

Por persona 1 045 kJ/250 kcal ·
20 g de proteínas · 11 g de grasas ·
16 g de hidratos de carbono

Tiempo de preparación: 40 min

Hierva el pescado en 1 l de
agua salada con 2 cucharadas de zumo de limón y el apio
nabo pelado y cortado en tiras 10
min. • Desmenuce el pescado.
Lave las pasas. Trocee las manzanas. • Muela las avellanas y mezcle
todo con los demás ingredientes.

Ensalada de pescado
con naranjas
Abajo de la foto

Ingredientes para 8 personas:
800 g de filetes de gallineta o
rape · 1 cucharada de aceite
3 cucharadas de zumo de limón
250 g de arroz de grano largo
½ l de agua · 3 cebollas
750 g de naranjas · Sal marina
2 cucharaditas de orégano seco
2 cucharadas de perejil picado
2 dl de crema de leche

Coste medio

Por persona 1 505 kJ/360 kcal ·
23 g de proteínas · 13 g de grasas ·
40 g de hidratos de carbono

Tiempo de preparación: 30 min

Rocíe el pescado con 1 cucharada de zumo de limón. •
Hierva el arroz con el agua y el
aceite 10 min, luego añada el pescado y cueza 10 min. • Corte las
naranjas en rodajas, las cebollas
en aros y mézclelas con el arroz
junto con los demás ingredientes.

Ensaladas originales de pescado

De sabores contrastados por la mezcla de pescado fresco con frutas

Ensalada de pescado a la Waldorf

A la izquierda de la foto

Ingredientes para 8 personas:
1 600 g de filetes de bacalao
4 cucharadas de vinagre
400 g de apio nabo · ½ lechuga
6 cucharadas de zumo de limón
3 cucharadas de semillas de girasol · 1 pizca de sal
2 cucharadas de miel
6 dl de crema de leche agria
1 pizca de pimienta blanca
1 kg de manzanas ácidas

Receta integral • Económica

Por persona 1 610 kJ/385 kcal ·
41 g de proteínas · 14 g de grasas ·
25 g de hidratos de carbono

Tiempo de preparación: 50 min

Lave el pescado, séquelo y rocíelo con vinagre. • Pele el apio nabo, lávelo y rállelo. Ponga a hervir ¼ l de agua con la sal y 2 cucharadas de zumo de limón. Dé un hervor al apio nabo y viértalo después en un colador. Recoja el agua y póngala a hervir de nuevo en una cacerola grande, agregue el pescado y déjelo cocer a fuego lento 15 min. • Tueste ligeramente en una sartén seca las simientes de girasol y déjelas enfriar. Mezcle la miel con el resto del zumo de limón y la crema de leche agria; condimente con la pimienta, incorpore el apio nabo. • Pele las manzanas, rállelas y mézclelas en seguida con la preparación. Trocee los filetes de pescado, déjelos enfriar un poco e incorpórelos, junto con las dos terceras partes de las semillas de girasol, a la mezcla de manzanas y apio nabo. • Cubra una fuente con hojas de lechuga lavadas. Vierta sobre ellas la ensalada de pescado y esparza por encima las semillas de girasol restantes.

Ensalada de bacalao y mango

A la derecha de la foto

Ingredientes para 10 personas:
2½ kg de bacalao o merluza en una pieza · ¼ l de vino blanco
1 cebolla · 1 zanahoria
1 puerro pequeño · 1 l de agua
½ manojo de perejil
1 hoja de laurel pequeña
½ cucharadita de sal
6 granos de pimienta negra
125 g de mayonesa
3 cucharadas de raiforte rallado
1 cucharada de zumo de limón
1 pizca de azúcar
¼ l de crema de leche
50 g de avellanas
4 mangos maduros

Elaborada

Por persona 1 985 kJ/475 kcal ·
46 g de proteínas · 19 g de grasas
· 26 g de hidratos de carbono

Tiempo de preparación: 1 hora

Tiempo de reposo: 30 minutos

Lave el pescado y córtelo en trozos grandes. Corte la cebolla en anillos y la zanahoria y el puerro en rodajas. • Ponga a hervir en una cacerola grande el agua con el vino, añada la verdura, el perejil y la hoja de laurel y deje cocer 15 min. Añada la sal y los granos de pimienta. Ponga a cocer los trozos de pescado en el caldo de 15 a 20 min. • Mezcle la mayonesa con el raiforte, el zumo de limón y el azúcar. Bata la crema a punto firme y mézclela. Pique las avellanas. Pele los mangos y corte la carne en gajos finos, separándola del hueso. • Saque el pescado del caldo, déjelo enfriar, quítele las espinas, córtelo en trozos y distribúyalo en una fuente de servicio, alternándolo con los gajos de mango. Vierta por encima la salsa cremosa y esparza las avellanas. • Ponga la ensalada a enfriar durante 30 min.

Salsa crema al vino blanco

La salsa crema al vino blanco va bien con pescados de consistencia delicada. Puede modificarse añadiéndole 1 pizca de azafrán, 1 ó 2 cucharaditas de anchoas, 4 cucharadas de hierbas recién picadas o setas frescas troceadas. El caldo de pescado puede sustituirse por zumo de naranja.

Ponga a hervir 1,2 dl de vino blanco seco y ⅛ l de caldo de pescado en un cazo destapado y a fuego moderado hasta que el líquido se reduzca a algo más de la mitad. Añada 1 petit suisse natural y ½ dl de crema de leche y deje reducir a fuego lento removiendo continuamente.

Salsa holandesa

Una salsa delicada que va bien con pescados nobles y crustáceos. Puede transformarla en una salsa Chantilly (salsa muselina), añadiéndole 3 cucharadas de crema de leche espesa batida. Para transformarla en salsa maltesa, bata las yemas, en lugar de vino, con zumo de naranja, sazonando al final la salsa con ralladura de naranja muy fina.

Ponga a derretir 200 g de mantequilla en un cazo a fuego lento, vaya retirando con la espumadera la espuma que se forme. Retire después el cazo del fuego. Bata en un cuenco pequeño 2 yemas de huevo con 4 cucharadas de vino blanco y el zumo de ½ limón.

Mantequilla blanca

Una salsa de mantequilla clásica, más fácil que la salsa holandesa y también tradicional en la alta cocina del pescado. La mantequilla blanca va bien con pescados escalfados y con filetes de pescado o rodajas de pescado fritas.

Pique finamente 5 escalonias y póngalas a cocer con ¼ l de vino blanco seco a fuego moderado, removiendo continuamente hasta que casi todo el líquido se haya evaporado. Los trocitos de escalonias sólo deberán conservar su humedad.

Salsa «rémoulade»

La salsa «rémoulade» puede comprarse hecha, pero en comparación con una salsa preparada en casa, el producto comercial resulta algo vulgar. La salsa «rémoulade» va bien con pescado frito, rebozado o en gabardina, filetes de pescado empanados y pescado ahumado de todo tipo.

Pique muy finamente 1 cebolla pequeña, 1 pepinillo en vinagre, 1 filete de anchoa, ½ manojo de perejil, las hojitas de 2 ramas de perifollo, 2 ramitas de estragón y 2 cucharaditas de alcaparras pequeñas.

Incorpore 2 cucharadas de mantequilla fría en trocitos a la salsa caliente y bata hasta que la mantequilla se haya incorporado totalmente a la salsa. Condimente con sal, pimienta blanca recién molida y —si lo desea— una pizca de azúcar; no deje hervir la salsa.

Bata 1,2 dl de crema de leche hasta que espese. Retire la salsa del fuego y mézclela con la crema batida. Ponga la salsa en la salsera y espolvoréela con hierbas finamente picadas, como albahaca, eneldo, perifollo, perejil o cebollino.

Ponga a hervir en un cazo grande agua para el baño maría, reduzca el calor y coloque dentro el cazo con la mezcla de huevos (el agua no debe hervir). Bata los huevos dentro del baño maría hasta convertirla en crema. Tenga cuidado de que no entre agua en el cuenco.

Retire el cuenco del baño maría y añada la mantequilla derretida, primero gota a gota y después a cucharadas. Condimente la salsa con sal y pimienta blanca recién molida; sírvala inmediatamente.

Añada poco a poco, removiendo con la batidora de varillas, 100 g de mantequilla en trocitos; baje un poco la temperatura al hacerlo. Cuando haya incorporado toda la mantequilla vuelva a calentar otra vez la salsa, removiendo, y condiméntela con sal y pimienta blanca recién molida.

Retire la salsa del fuego. Bata 3 cucharadas de crema de leche espesa hasta que se espese y añádala a la salsa. Vierta la mantequilla blanca en un cazo y sírvala en seguida.

Mezcle 2 yemas de huevo con 1 cucharadita de mostaza. Añada poco a poco 1,2 dl de aceite, hasta conseguir una mayonesa fluida. Cuando haya añadido aproximadamente la mitad del aceite, puede agregar el resto en un chorrito fino.

Condimente la mayonesa al gusto con 1 pizca de sal y 1 pizca de azúcar, mézclela con los ingredientes picados y vuélvala a sazonar; si fuera necesario, añada alguna especia o un poco de pimienta y zumo de limón.

Guía de pescados, mariscos y moluscos

La información que damos a continuación está pensada para aquellos que no sólo disfrutan cocinando y comiendo bien, sino que desean saber también algo más sobre el producto elegido. No obstante, nuestras descripciones han tenido que limitarse a las clases de pescados más importantes que pueden adquirirse. De cada especie se ofrece el nombre, generalmente en inglés, francés, italiano y alemán, pero teniendo en cuenta que en los países citados los nombres varían mucho de región a región, no pretendemos que éstos sean los únicos válidos. Además, se ofrece información de dónde se capturan los pescados, mariscos y moluscos, su forma de comercialización, las formas de cocción más adecuadas y cuáles son las combinaciones que les van mejor. A este respecto reproducimos aquí también las declaraciones del profesor doctor Karl-Ernst Krüger, conocido especialista, respecto al problema de los elementos nocivos que podríamos ingerir con los pescados posiblemente debido a la contaminación creciente de las aguas: «Las cantidades de elementos nocivos que pueden encontrarse, en proporciones mínimas, en los pescados marinos, se encuentran en la misma dimensión en otros alimentos y, por ello, no deberían ser motivo para eliminar el pescado de nuestra cesta de la compra, siendo, como es, uno de los alimentos más ricos.»

La familia de los arenques

Los peces teleóstomos clupeiformes permanecen siempre unidos a su banco. Todos los peces de esta familia son esbeltos, tienen sólo una aleta dorsal, aletas pectorales y ventrales estrechas, y escamas de paredes finas y bastante separadas de la piel. Los bancos habitan en mares profundos, pero también en las proximidades de las costas. Los representantes más conocidos son el sábalo, el arenque, el boquerón, la sardina y el eperlano; hay, además, muchos otros tipos que carecen de importancia para la captura. El sábalo es el único pez de esta familia que pertenece a los peces migradores, que se trasladan río arriba hasta los lugares de freza.

Sábalo
Ing.: shad; fran.: alose; ital.: alaccia, alosa; al.: Alse; cat.: saboga.

El teleóstomo más grande, con una longitud de 50 cm por lo menos. Los bancos viven principalmente en las costas de la Europa occidental, de América del Norte y del Mediterráneo. Son muy apreciadas las capturas de sábalos que se hallan en camino de los lugares de freza, debido a las huevas exquisitas, bien desarrolladas. El sábalo es graso y tiene escamas.

Formas de preparación: prepare los filetes de igual forma que el salmón, trucha marisca y lenguado. Con el resto puede preparar caldo de pescado o sopa. El sábalo puede freírse también entero y enharinado, una vez descamado y destripado; asado a la parrilla en papel de aluminio o escalfado en un fondo de vino blanco y pescado con cebollas y acederas.

Guarniciones: raiforte rallado, mantequilla de anchoas, espárragos; salsa holandesa; salsa «rémoulade» (página 48).

Arenque (Foto abajo)
Ing.: therring; fran.: hareng; ital.: aringa; al.: Hering.

El arenque pertenece a los peces grasos y lleva escamas. Por término medio alcanza una longitud de 30 cm y se captura desde el golfo de Vizcaya hasta el océano Ártico. En el mar del Norte y el mar Báltico se encuentran también peces bastante más pequeños, debido al bajo contenido en sal. El arenque se captura en tres estados de desarrollo diferentes: peces antes de madurar, peces aptos para la reproducción y peces sin órganos reproductores y que se llaman «matjes». Las épocas principales de captura son mayo y junio. Las épocas de captura para el arenque maduro son julio y agosto, así como diciembre y abril. Como el arenque maduro se captura antes de la freza, los órganos reproductores están muy desarrollados. El arenque de otoño, llamado también arenque vacío, tiene los órganos reproductores muy involucionados, y es considerablemente menos grasiento que el arenque «matjes» y el arenque maduro, pero especialmente sabroso. Su época de captura es en septiembre y octubre.

El arenque rara vez llega fresco al mercado peninsular, generalmente está conservado en condiciones de consumo. La oferta va desde el arenque Bismarck (arenques conservados en vinagre, que pueden obtenerse enrollados rellenos con pepinos, cebolletas o también chucrut), pasando por el arenque cocido (arenques frescos destripados, fritos o cocidos con espinas y conservados en escabeche), arenque ahumado (ligeramente salado y ahumado en caliente), arenque asado (para consumo inmediato o para escabecharlo), arenque ahumado (ahumado en frío, sa-

Boquerones

Arenques

Sardinas

Agujas

Pescados marinos

lado), el arenque fresco (pescado fresco para freír o asar a la parrilla), arenque salado y arenque «matjes» (arenque con los órganos reproductores sin desarrollar, ligeramente salado).

Formas de preparación: los arenques frescos deben desescamarse y destriparse y, dependiendo de la forma de cocción, desespinarse. Generalmente se fríen pasándolos por harina, o se asan a la parrilla. Pueden rellenarse con champiñones y escalonias (y si fuese posible, mezclándolos con el órgano reproductor masculino) o sólo con hierbas. También pueden untarse con aceite especiado y freírse o asarse a la parrilla en papel de aluminio. También pueden escalfarse en fondo de pescado con hierbas y vino blanco. Pueden asarse al horno con un fondo de pescado, verduras y especias cubiertos con papel de aluminio o gratinarse en un molde espolvoreado con pan rallado y copitos de mantequilla. Los arenques ahumados, salados o en escabeche pueden utilizarse para cócteles o ensaladas. Los filetes saben muy bien en ensalada mezclados con una mayonesa a la crema, con rodajas de manzana y aros de cebolla.

Guarniciones: mantequilla de hierbas, mantequilla de mostaza, tomates, cebollas fritas, tocino frito crujiente para los arenques frescos y judías verdes y patatas hervidas para los arenques «matjes».

Boquerón (Foto pág. 120)

Ing.: anchovy; fran.: anchois; ital.: acciuga; al.: Sardelle.
El boquerón pertenece a los pescados grasos. Habita en el Atlántico, en el mar Negro y, sobre todo, en el Mediterráneo, y tiene una longitud de 6 a 15 cm. Debido a su fácil corruptibilidad, sólo puede obtenerse fresco en las proximidades de la costa, así como congelado, salado, ahumado o en aceite.

Formas de preparación: los boquerones frescos se descaman ligeramente y se empanan o pasan por la masa de freír y después se fríen; pueden desespinarse, rellenarse con hierbas picadas y freírse; también pueden escalfarse en vino blanco envueltos en hojas de parra.

Guarniciones: tomates, espinacas, salsa crema al vino.

Sardina (Foto pág. 120)

Ing.: sardine; fran.: sardine; ital.: sardina; al.: Sardine.
La sardina pertenece a los peces grasos. Llama la atención por su color plateado, tiene escamas bastante grandes y alcanza una longitud de hasta 25 cm. Vive en el Atlántico desde las islas Canarias hasta las aguas noruegas, así como en el Mediterráneo. Las sardinas se ofrecen en el mercado frescas o en conserva.

Formas de preparación: las sardinas pueden descamarse ligeramente, empanarse y freírse; también pueden sumergirse en una masa para freír; pueden gratinarse al horno en una fuente refractaria con un poco de vino blanco y dados de tomate y espolvorearse con pan rallado; pueden rellenarse con champiñones o escalonias y espolvorearse con perejil; son deliciosas rellenas con una «duxelles», escalfadas en vino blanco y acompañadas con picatostes y espinacas; también puede freírlas a la molinera o asarlas en papel de aluminio.

Espadín

Ing.: sprat; fran.: esprot, sprat; ital.: spratto; al.: Sprotte.
Las zonas de hábitat de los espadines son el mar Negro, el mar Báltico, el Mediterráneo y el Atlántico Norte. El espadín pertenece a los peces grasos y tiene un tamaño de 10 a 17 cm. Generalmente se ofrece en el mercado ahumado, rara vez fresco o congelado.

Formas de preparación: todas las descritas para los boquerones. Conservados en aceite, escabechados o ahumados, los espadines pueden emplearse en entradas o platos fríos.

La familia de los gádidos

Pertenecen a esta familia los peces marinos con escamas muy pequeñas y de cuerpo alargado. Algunas especies tienen en la mandíbula inferior una barbilla. Los representantes más importantes son la maruca, la merluza, el bacalao, el abadejo, el gado, el palero y la pescadilla o merlán.

Todas las especies pertenecen a los pescados magros. Las zonas principales de captura incluyen el Atlántico desde las latitudes de Gran Bretaña hasta Islandia, Canadá y Nueva Zelanda, así como el mar del Norte, el Báltico y el Mediterráneo.

Maruca

Ing.: blue ling; fran.: lingue bleu; ital.: molva allumgata; al.: Blauleng.
De forma alargada, resalta el color plateado metálico de su lomo. La maruca habita principalmente en aguas frías. Se ofrece fresca y secada al aire.

Formas de preparación: fría el pescado fresco fileteado. Puede prepararse igual que el bacalao fresco.

Bacaladilla

Ing.: blue whiting; fran.: poutasson; ital.: melú; al.: Blauer Wittling.
Puede alcanzar los 40 cm y se encuentra tanto en el Atlántico como en el Mediterráneo, es un pescado que debe consumirse muy fresco.

Formas de preparación: los filetes se fríen pasados por harina o pan rallado, y también se utilizan cortados en dados para guisos o suflés; los pescados enteros pueden asarse en papel de aluminio o en una bolsa para asar con un poco de fondo de pescado y vino blanco. Antes de terminar el horneado, el pescado debe rociarse con sus propios fondos de cocción.

Guarniciones: espinacas tiernas aromatizadas con hierbas, maíz, tocino frito crujiente y tomates en dados.

Eglefino

Bogas

Guía de pescados, mariscos y moluscos

Bacalao (Foto abajo)

Ing.: cod; fran.: cabillaud; ital.: merluzzo fresco; al.: Kabeljau.

Uno de los pescados más importantes para la flota pesquera mundial. El bacalao está provisto de tres grandes aletas dorsales y tiene una barbilla muy grande. Los pescados adultos alcanzan una longitud de 1 m y llegan a pesar hasta 20 kg. El bacalao del mar del Norte no pesa más de 6 a 7 kg. Las zonas principales de captura son las costas del Atlántico Norte. El bacalao se ofrece en trozos, en filetes o en rodajas. Destripado, salado y secado, el bacalao tiene gran importancia en la cocina regional española. Si lo compra salado, remójelo en agua 24 horas como mínimo, cambiando el agua dos o tres veces.

Formas de preparación: el bacalao debe descamarse y puede luego utilizar su carne delicada y sabrosa para asarlo al horno o a la parrilla, freírlo, escalfarlo, cocerlo al vapor o preparar croquetas y albóndigas. Requiere muy poco tiempo de cocción. Para asarlo al horno le aconsejamos que envuelva los trozos grandes en papel de aluminio. Para empanar o gratinar los filetes de bacalao le recomendamos utilice galletas crakers trituradas, así resultará más fino. Los condimentos adecuados son el curry, el estragón, el ajo, el perejil y la pasta de anchoas.

Guarniciones: rodajas de manzana, judías verdes, champiñones, queso, puerros, zanahorias, pimientos, remolacha, pepinillos en vinagre, tocino frito crujiente, espinacas, tomates, cebollas.

Arbitán (Foto abajo)

Ing.: spanish ling; fran.: lingue; ital.: molva; al.: Lengfisch.

Es especialmente esbelto. Su segunda aleta dorsal, así como la aleta anal, se extienden a lo largo de la parte posterior del cuerpo; su barbilla es llamativamente larga. El arbitán llega a alcanzar un tamaño de 90 cm. La zona principal de captura es en el Mediterráneo.

Formas de preparación: se utilizan principalmente los filetes. Puede freírlos empanados o añadirlos cortados en dados a sopas de pescado o calderetas, también puede prepararlos en hamburguesas después de pasarlos por la picadora.

Guarniciones: todo tipo de verduras de sabor fuerte y salsas picantes.

Abadejo (Foto abajo)

Ing.: pollack; fran.: lieu jaune; ital.: merluzzo giallo; al.: Pollack.

Un pariente del bacalao que sólo alcanza 60 cm de largo. Su hábitat son las costas occidentales europeas del Atlántico hasta Islandia y el Mediterráneo occidental.

Formas de preparación: todas las descritas para el bacalao.

Eglefino (Foto pág. 121)

Ing.: haddock; fran.: eglefin; ital.: nasello; al.: Schellfisch.

Tiene un papel importante en la pesca europea y americana. Su hábitat va del Atlántico Norte hasta el Ártico y el mar del Norte. El eglefino alcanza un tamaño de 50 cm y pesa de 2 a 3 kg. Se pone a la venta principalmente congelado, troceado, fileteado y en rodajas.

Formas de preparación: todas las descritas para el bacalao. El eglefino necesita descamarse. Una forma especialmente delicada de prepararlo es escalfado en fondo de pescado y vino o caldo de verduras. Las rodajas deben dejarse reposar un poco en leche y secarse antes de asarlas a la parrilla o freírlas en mantequilla. Los condimentos adecuados para este pescado son la albahaca, el eneldo, el laurel, el raiforte, el perejil, el azafrán, el cebollino y el limón.

Guarniciones: ostras, champiñones, gambas, mejillones o almejas, juliana de verduras, mantequilla a las hierbas, pepinillos, anchoas en aceite, tomates, cebollas; salsa holandesa (página 118), salsa de alcaparras, salsa de mostaza.

Merluza (Foto abajo)

Ing.: hake; fran.: colin, merlus; ital.: luccio marino; al.: Seehecht.

La esbelta merluza, de carne blanca y delicada, con las fuertes mandíbulas de pez cazador, alcanza un tamaño de 50 cm a 1 m y pesa hasta 10 kg. Su hábitat es el Atlántico occidental, desde Islandia hasta las costas africanas y sudamericanas, el mar del Norte y el Mediterráneo.

Formas de preparación: la merluza ha de descamarse. Los pescados enteros o los trozos pueden prepararse como el bacalao fresco. Su carne blanca es muy adecuada para fondues, broquetas de pescado, así como para sopas, guisos o calderetas. Los condimentos apropiados para este pescado son la pimienta de Cayena, las alcaparras, el ajo, las hierbas frescas picadas, la salvia, las escalonias, la mostaza y rodajitas de trufas.

Guarniciones: huevos duros picados, puré de acederas, pan rallado dorado en mantequilla, escalonias escalfadas en vino tinto, dados de tocino fritos, cebollas fritas.

Carbonero (Foto abajo)

Ing.: coalfish, rock salmon; fran.: grélin, lieu noir; ital.: merlano nero, merluzzo carbonaro; al.: Seelachs.

Su hábitat principal son las aguas que rodean a Islandia y delante de las costas de Groenlandia, Terranova, Noruega, así como la costa oriental de América. Alcanza un tamaño de hasta 1 m. El carbonero se filetea y corta en rodajas. También se conserva en aceite, como sustituto económico del salmón auténtico y ahumado.

Formas de preparación: todas las descritas para el bacalao o la merluza. Hay que descamar este pescado.

Las rodajas de carbonero conservadas en aceite o ahumadas son muy apropiadas para entradas, platos de pescado, ingrediente de ensaladas o canapés.

Merlán

Ing.: whiting; fran.: merlan; ital.: merlano, nasello; al.: Wittling.

El merlán, pobre en grasas, alcanza un tamaño de hasta 50 cm y habita principalmente en el Atlántico desde Gibraltar hasta las islas Lofoden, en el Mediterráneo y en el mar Negro. Como la carne dura y blanca de este pescado fino no aguanta la presión del hielo, generalmente se ofrece sólo fresco en las proximidades de la costa. El merlán es

Bacalao

Abadejo

Merluza

Carbonero

Pescados marinos

uno de los pescados ahumados más finos.

Formas de preparación: los pescados enteros deben descamarse. Los filetes han de pasarse por una pasta para freír, por harina o bien empanarse con crakers triturados y freírse en aceite. Los pescados enteros pueden escalfarse en un fondo de pescado y vino blanco con escalonias, asarse al horno envueltos en papel de aluminio o gratinarse con queso Emmental y copitos de mantequilla. Los condimentos adecuados son el eneldo, el ajo, el perejil, el limón.

Guarniciones: ostras, champiñones, gambas, juliana de lechuga, mejillones o almejas, perejil frito, yemas de espárragos, tomates asados, laminitas de trufas, cebollas doradas, puré de cebollas, mantequilla blanca (página 18), salsa de hierbas, salsa de tomate.

La familia de los escombroideos y escorpénidos

Pertenecen a la familia de los escombroideos, no muy numerosa, miembros como la caballa y el atún. Al grupo de las caballas pertenece el verdel, caballa de las aguas profundas del Atlántico. El atún y el bonito son auténticos miembros de la especie y tienen, como todos, forma de huso. Son pescados grasos. La gallineta es un miembro destacado de la familia de los escorpénidos.

Caballa
(Foto abajo)
Ingl.: mackerel; fran.: maquereau; ital.: sgombro; al.: Makrele.

La caballa habita principalmente en el Atlántico y el Mediterráneo, y alcanza un tamaño de hasta 50 cm. Sus brillantes dibujos verdiazules palidecen después de muerta. Es muy apreciada por su carne sabrosa y jugosa. Su presencia en el mercado es constante. Hace mucho tiempo que se prepara ahumada y se conserva enlatada.

Formas de preparación: hay que descamar la caballa y, dependiendo de cómo vaya a cocinarla, filetearla. Puede freírla entera (a la molinera); debido a su elevado contenido en grasa propia, es preferible cocinarla al vapor, a la parrilla o escalfada. Puede también escalfarla troceada y prepararla con salsa de mantequilla. Al estilo inglés se escalfa en un fondo de pescado aromatizado con hinojo y se sirve con uva espina. En la cocina clásica los filetes a la parrilla se sirven sobre pan frito untado con mantequilla de anchoas. Los condimentos adecuados son la artemisa o hierba de San Juan, el eneldo, las hojas de hinojo, el ajo, el berro, el perejil, la pasta de anchoas, las escalonias, el limón.

Guarniciones: champiñones, guisantes verdes, juliana de verduras, mantequilla de hierbas, mejillones o almejas, apio, puré de cebollas, salsa «ravigote» (salsa de hierbas picante), salsa de tomate, salsa al vino blanco.

Gallineta
(Foto pág. 127)
Ing.: Norway haddock, red fish, rosefish; fran.: rascasse du nord, chèvre sébaste; ital.: scorpena rossa, scorfeno roso; al.: Rotbarsch.

Pez grueso, prieto, de un rojo llamativo con un efecto marmoleado oscuro en el lomo, una larga serie de aletas dorsales espinosas y una cabeza muy grande con mandíbula inferior saliente. La gallineta habita en los mares de la mitad norte del globo terráqueo y en el Mediterráneo. Alcanza aproximadamente un tamaño de 50 cm y pesa de 1 a 2 kg. Su carne, dura y sabrosa, es magra. La gallineta se ofrece entera.

Formas de preparación: todas las descritas para la merluza, en budines y pasteles. A la gallineta hay que quitarle las escamas.

Atún
(Foto abajo)
Ing.: tunny; fran.: thon; ital.: tonno; al.: Thunfisch.

El atún alcanza una longitud de hasta 2,50 m y un peso de aproximadamente 100 kg. Habita en todos los mares y pertenece a la especie de peces escómbridos migratorios muy rápidos. Hace mucho tiempo que se conserva el atún en aceite; se encuentra habitualmente fresco, entero o troceado.

Formas de preparación: el atún fresco, si se vende con la piel, debe descamarse. Su carne firme es muy apropiada para freír y asar a la parrilla al natural, enharinada o ligeramente empanada. Es excelente guisado con tomates y cebollas. Los trozos grandes pueden cocerse al vapor sobre un fondo de ternera y vino blanco (utilice el líquido reducido para una salsa). Los condimentos adecuados son el curry, las alcaparras, el ajo, el vino de Jerez, el perejil y el limón.

Guarniciones: guisantes, tiras de zanahoria, pepinillos en vinagre, anchoas en aceite, escalonias, jamón serrano en dados, dados de tocino fritos, tomates, cebollas, salsa de alcaparras, salsa de anchoas, salsa «rémoulade» (página 118), salsa de tomate.

Bonito
Ing.: bonito; fran.: bonite; ital.: tonno bonita; al.: Bonito.

Pariente del atún que sólo alcanza un tamaño de 1 m aproximadamente y llega a pesar 10 kg. Habita en casi todos los mares, pero sobre todo en el Mediterráneo y el Atlántico. (Las capturas japonesas entran en el mercado con la denominación de *Shipjak*.)

Formas de preparación: todas las descritas para el atún. Al bonito hay que quitarle las escamas.

Bacoreta
Ing.: little tunny; fran.: thonine; ital.: tonneto.

Una especie que habita profusamente en el Mediterráneo. Su carne es dura y fina.

Formas de preparación: todas las descritas para el atún.

Bonito del norte (albacora)
Ing.: albacore; fran.: germon; ital.: tonno alalunga; al.: Germon.

Es parecido al atún, alcanza un tamaño de 1 m y habita en el norte de España, el Mediterráneo y las Antillas. Debido a su carne dura y sabrosa, esta variedad es

Caballa

Atún

123

Guía de pescados, mariscos y moluscos

una de las capturas más solicitadas.

Formas de preparación: todas las descritas para el atún. Hay que descamarlo.

La familia de los peces planos

Los llamados peces planos tienen un gran parecido en su forma y sistema de vida. A lo largo de su historia evolutiva se han ido adaptando a la vida en el fondo marino; por ejemplo, sus ojos han pasado a la parte superior. La parte inferior es generalmente incolora, mientras que la superior se adapta, con colores de camuflaje, al entorno correspondiente. Pertenecen a esta familia de peces magros la platija, la limanda o mendo limón, la acedía, el lenguado y el rodaballo.

Platija

Ing.: flounder; fran.: flet; ital.: pàssera; al.: Flunder.

La platija habita principalmente en las aguas costeras llanas de los mares europeos. Alcanza un tamaño de 30 a 40 cm. Algunos ejemplares pueden alcanzar una edad de 40 años, con un peso apreciable. La platija es un pescado muy apreciado, tanto para cocer como para ahumar.

Formas de preparación: todas las descritas para la solla (una variedad de platija). No es preciso quitarle la piel antes de cocinarla, pero si lo desea, puede eliminar la parte oscura de la misma. Sírvala siempre con la parte clara hacia arriba. Los gourmets suelen eliminar la piel superior, algo más gruesa.

Rémol

Ing.: brill; fran.: barbue; ital.: rombo liscio; al.: Glattbutt.

Su piel es lisa, blanda y su forma es más redonda que oval. Habita enterrado en el fondo del Mediterráneo y el Atlántico.

Formas de preparación: no es necesario despellejar el rémol antes de cocinarlo. Puede escalfarlo entero en vino blanco, también puede rellenarlo y escalfarlo en un fondo de pescado y vino, freírlo troceado pasado por una pasta para freír, o gratinarlo cubierto con queso rallado. En la alta cocina se cuecen los filetes despellejados en mantequilla o aceite. Los condimentos adecuados para este pescado son el eneldo, el estragón, las alcaparras, el perejil, el romero, el limón.

Guarniciones: ostras, espinacas tiernas crudas, mantequilla derretida, champiñones, mantequilla al estragón, gambas, dados de pepino, puerros, juliana de zanahorias, almejas o mejillones, escalonias, yemas de espárrago, tomates, mantequilla blanca (página 118), salsa holandesa, salsa de queso.

Halibut

Ing.: halibut; fran.: flétan; ital.: halibut, fletano; al.: Heilbutt.

Su hábitat son las aguas profundas del Atlántico Norte, junto a Groenlandia, Islandia y Spitzberg, la costa oriental americana y el Pacífico Norte.

El halibut blanco es, con un promedio de 1 m de longitud, el mayor de los pleuromectiformes; los peces viejos llegan a tener hasta 2 m, algunos incluso 4. Pueden alcanzar un peso de hasta 100 kg y en algunas ocasiones hasta 300; de ahí su gran importancia para el comercio de la pesca. La carne del halibut es blanca y sabrosa, pero menos delicada que la del rodaballo o el rémol.

Formas de preparación: puede asarse o escalfarse con o sin piel y cortarlo en trozos. Los métodos más convenientes son el escalfado y el guisado. En las preparaciones especiales suele prepararse casi siempre en filetes. Los condimentos adecuados son: el ramillete de hierbas aromáticas, el estragón, las alcaparras, el laurel, el perejil y el limón.

Guarniciones: corazones de alcachofas, mantequilla derretida, queso o pan rallado y copos de mantequilla para gratinar, mezcla de hierbas, almejas o mejillones, tiras de tocino frito, tomates asados, salsa crema, salsa de anchoas, salsa de vino.

Halibut negro

Es un pariente más pequeño del halibut blanco, que, sin embargo, no pertenece a los peces magros, sino a los peces semigrasos. Vive principalmente en aguas del Ártico y alcanza un tamaño aproximado de 1 m, llegando a pesar hasta 18 kg. El halibut negro es apreciado por su gusto delicado. Como pescado ahumado ha obtenido aceptación. También puede asarse a la parrilla o escalfarse.

Formas de preparación: la mejor forma de prepararlo es al horno envuelto en papel de aluminio con un fondo aromatizado con vino y especias. También puede prepararlo como el halibut blanco.

Mendo limón

Ing.: lemon sole; fran.: limande sole; ital.: sogliola limanda; al.: Rotzunge.

La piel de este pescado tiene un color rojizo con manchas naranjas, verdes y amarillas. Su hábitat son las costas europeas y americanas del Atlántico Norte. El mendo alcanza un tamaño de 50 cm y un peso de hasta 1 kg. La carne del mendo limón es blanca, muy sabrosa y no muy dura.

Formas de preparación: todas las descritas para el lenguado. Los condimentos aconsejables son el perejil, la mostaza y el limón.

Guarniciones: mantequilla derretida dorada, huevos duros picados, gambas, pan rallado dorado en mantequilla, salsa holandesa (página 118), salsa al vino blanco.

Solla

(Foto abajo)

Ingl.: plaice; fran.: carrelet; ital.: passera; al.: Scholle.

Son característicos los lunares rojizos anaranjados en su parte superior y en los bordes de las aletas. Habita en el Atlántico Norte, en las costas atlánticas europeas, así como en el mar del Norte y Báltico y el Mediterráneo. Alcanza un tamaño de 20 a 40 cm. La carne de la solla es clara, sabrosa y no muy dura.

Solla

Lenguados

Pescados marinos

Formas de preparación: puede freírse entera o fileteada, previamente pasada por harina o pan rallado o bien sumergida en una pasta para freír. Los condimentos apropiados son las alcaparras, el perifollo, el ajo, la pimienta blanca, el tomillo y el limón.

Guarniciones: mantequilla derretida dorada, gambas, lechuga en juliana con dados de tomate y piña, mantequilla de hierbas, aceitunas negras, mantequilla de anchoas, filetes de anchoa en aceite, dados de tocino fritos, tomates asados, salsa holandesa (página 118) y salsa de tomate.

Lenguado
(Foto abajo)
Ing.: sole; fran.: sole; ital.: sogliola; al.: Seezunge.
Este pez, muy apreciado y especialmente sabroso, es de capturas poco frecuentes, por lo que se comercializa a precio elevado. Las zonas de captura principales son la costa europea del Atlántico hasta África del Norte y el Mediterráneo. Los lenguados alcanzan tamaños de hasta 50 cm y pesan entre 200 y 500 g.
Formas de preparación: el lenguado se despelleja tirando la piel desde la cola a la cabeza o se escama ligeramente y se filetea. Puede escalfarlo en un fondo de pescado y vino o en un fondo aromatizado con vino tinto y escalonias, también puede enharinarlo y freírlo a la molinera o pasarlo por pan rallado muy fino, o una pasta para freír. Puede asarlo al horno envuelto en papel de aluminio cuando se trate de

ejemplares grandes. Con objeto de conservar su delicado gusto, debe emplear los condimentos con discreción: por ejemplo, albahaca, eneldo, estragón, hojas de hinojo, perejil, vino de Oporto, pimentón dulce, pasta de anchoas, tomillo o trufas.
Guarniciones: corazones de alcachofas, rodajas de berenjenas, ostras, mantequilla derretida dorada, champiñones, puré de champiñones pequeños, hojaldres, gambas, mantequilla de hierbas, rodajas de pepino fritas, colmenillas fritas, almejas o mejillones, juliana de pimientos, queso parmesano rallado, tuétano de buey escalfado, quisquillas o camarones, escalonias, puntas de espárragos trigueros, espinacas frescas, tomates y plátanos fritos, puré de tomates y cebollas, salsa bechamel, salsa curry, salsa holandesa, salsa de tomate y salsa de vino blanco.

Rodaballo
(Foto abajo)
Ing.: turbot; fran.: turbot; ital.: rombo, rombo chiodato, rombo gigante; al.: Steinbutt.
El rodaballo, pez de piel rugosa, puede alcanzar un tamaño de hasta 1 m y pesar hasta 40 kg; sin embargo, son más frecuentes los ejemplares pequeños. Su hábitat principal son las costas del Atlántico y el Mediterráneo. Su

carne es muy sabrosa y consistente.
Formas de preparación: antes de cocinarlo, quite siempre la piel superior y, si lo desea, también la inferior. Los pescados pequeños pueden escalfarse en agua mezclada con leche y rodajas de limón o bien en un fondo de pescado y vino. Para freírlos se pasan por harina o pan rallado. Si desea gratinarlos en el horno, cúbralos con una salsa. Los pescados grandes pueden filetearse o trocearse. Los condimentos adecuados son el estragón, las alcaparras, el ajo, el perejil, el pimentón dulce, el azafrán y el limón.
Guarniciones: rodajas de manzana fritas en mantequilla, mantequilla derretida dorada, mantequilla de estragón, gambas, mantequilla de hierbas, juliana de apio y zanahorias, almejas o mejillones, pimientos cortados en dados, mantequilla de anchoas, filetes de anchoas en aceite, espinacas frescas, tomates fritos o asados a la parrilla, rellenos con una farsa de pescadilla, aros de cebolla fritos, puré de cebollas, salsa de hierbas, salsa crema y salsa al vino blanco.

La familia de los pagros y los espáridos

De la familia de los espáridos se ofrecen en el mercado la boga, la dorada, el salmonete y el dentón. Todos ellos tienen el cuerpo comprimido y la típica cabeza achatada.

Boga
(Foto pág. 121)
Ing.: bogue; fran.: bogue; ital.: boga; al.: Gelbstrieme.
La boga habita en el Mediterráneo y en el Atlántico y alcanza un tamaño de unos 50 cm.
Formas de preparación: este pescado puede freírse o asarse a la parrilla. Hay que descamarlo previamente.

Dorada
Ing.: gilt-head bream; fran.: daurade, vrai daurade; ital.: orata; al.: Goldbrassen.
Su hábitat es el Mediterráneo y la costa africana del Atlántico. La dorada es un pez magro que alcanza un tamaño de 30 a 50 cm. Su carne es muy apreciada, debido a su fina consistencia y sabor aromático. El *besugo* se diferencia muy poco de la dorada, pero pertenece al grupo de los pescados grasos.
Formas de preparación: los pescados pequeños, una vez desca-

Rodaballo

125

mados, pueden freírse a la molinera. Los filetes se preparan siguiendo las recetas de los filetes de lenguado, los pescados grandes pueden asarse al horno envueltos en papel sulfurizado, rellenos si lo desea, y dispuestos sobre un lecho de hortalizas mojado con caldo de pescado o vino.

Aligote (pagel)

Ing.: bronze bream; fran.: pageot; ital.: fragolino, pagello fragolino; al.: Rotbrassen.
Es una variedad de besugo y llama la atención por el color rojo de su lomo.
Formas de preparación: todas las descritas para la dorada y el besugo.

Pargo

(Foto pág. 126)
Ing.: sea bream; fran.: pagre; ital.: pagro; al.: Rötlicher Brassen.
Vive principalmente en el Mediterráneo, pero emigra con frecuencia a las aguas más calientes de los ríos, especialmente del Nilo.
Formas de preparación: todas las especificadas para la dorada. El pargo ha de descamarse.

Dentón

(Foto pág. 127)
Ing.: dentex; fran.: denté; ital.: dentice; al.: Zahnbrassen.
Es uno de los principales representantes de la familia en el Mediterráneo y debe su nombre a sus fuertes dientes.
Formas de preparación: todas las especificadas para la dorada. Hay que descamarlo.

Peces marinos pertenecientes a diferentes familias

Marrajo/agulat

Ing.: mackerel shark; fran.: taupe; ital.: percecane, squalo; al.: Heringshai.
Estos peces son los representantes más inofensivos de la temida familia de los tiburones. El marrajo alcanza un tamaño de hasta 4 m y puede llegar a pesar 200 kg. Su zona principal de captura es el mar del Norte. Su carne es de un sabor exquisito. El agulat alcanza sólo un tamaño de 1 m y un peso de 10 kg. Sus lóbulos de la tripa ahumados nos proporcionan su apreciada carne ahumada. El agulat aparece en el mercado despellejado. Su carne tiene un gusto fuerte muy característico. Ambas especies pertenecen al grupo de pescados magros ricos en proteínas.
Formas de preparación: los filetes y las rodajas son apropiados sobre todo para freír en sartén una vez pasados por harina o pan rallado. También son deliciosos envueltos en pasta para freír; para asarlos a la parrilla envuélvalos en papel de aluminio; los trozos grandes son adecuados para asar al horno en bolsa de asar, sobre verduras o con un poco de fondo de pescado y vino.

Aguja

(Foto pág. 120)
Ing.: gar-fish; fran.: orphie; ital.: aguglia; al.: Homhecht.
Un pez alargado y esbelto que habita en el Mediterráneo, en el Atlántico y en los mares del Norte y Báltico. La carne de las agujas jóvenes es muy sabrosa, pero tiene muchas espinas. Al freírla o ahumarla las espinas toman un color verdoso. La aguja es un pescado graso.
Formas de preparación: generalmente se utiliza sin piel para platos con salsas, asada a la parrilla o frita en la sartén.

Rubio, bejel y borracho

Estas tres variedades, así como el arete, tienen en común una cabeza huesuda muy destacada, con las aletas pectorales alargadas. Todas las variedades alcanzan un tamaño de 30 a 50 cm y habitan en el Atlántico desde el extremo norte hasta el Mediterráneo y en el Adriático. La carne es clara, sabrosa y magra. Al cocinarla se producen muchos desperdicios.

Borracho

Ing.: grey gurnard; fran.: grondin gris; ital.: cappone grondino; al.: Grauer Knurrhahn.

Arete

Ing.: red gurnard; fran.: grondin rouge; ital.: cappone coccio; al.: Roter Knurrhahn.

Escórpora

Fran.: petite rascasse; ital.: scarfanotto.
Formas de preparación: a la escórpora hay que quitarle las escamas. Cortada en trozos es un ingrediente muy apreciado para sopas de pescado. Preparada entera puede rellenarse con una farsa de gambas y asarse al horno envuelta en una bolsa para asar. Al estilo egipcio la escórpora se hace al vapor cortada en tiras con aros de puerros, dados de tomate, perejil picado, aceite y vino blanco; el líquido de cocción se bate con mantequilla de ajo. Los condimentos apropiados son el estragón, las alcaparras, el ajo, la pimienta blanca, el cebollino y el limón.
Guarniciones: gambas, pepinos en dados, lechuga cortada en tiras, mantequilla de hierbas, juliana de puerros y zanahorias, escalonias, tomates asados y calabacines en dados.

Congrio

Ing.: conger eel; fran.: congre, anguille de mer; ital.: grongo; al.: Seeschwalbe.
El congrio o anguila de mar tiene la misma forma y carece de escamas como la anguila de río, pero es menos graso. Sin embargo, su carne no alcanza la calidad de la anguila de río. Alcanza un tamaño de hasta 2 m y habita al sur y oeste de Inglaterra, en el golfo de Vizcaya, el Mediterráneo, en las costas atlánticas de América del Norte, cerca de Japón y en Australia.
Formas de preparación: todas las especificadas para la anguila de río. El congrio se utiliza principalmente como ingrediente para la preparación de platos pescadores o para sopas de pescado. Si se cuece a la española, deberá despellejarlo (verá cómo se despelleja la anguila de río en la página 129), cortarlo en trozos y guisarlo en aceite, vino tinto, un poco de vinagre, cebollas picadas y tiras de pimientos. Puede condimentarlo con ajo, hierbas picadas, laurel y tomillo.

Pez de San Pedro

Salmonetes

Pescados marinos

Lubina
Ing.: bass; fran.: loup de mer; ital.: spigola; al.: Meerbarsch.

Este pez de sabor fuerte y magro alcanza un tamaño de unos 80 cm. Habita sobre todo en el Mediterráneo, pero también en el Atlántico. Su pariente, la lubina rayada, habita en las costas atlánticas de América del Norte y en el Pacífico.

Formas de preparación: ponga a escalfar entero el pescado después de quitarle las escamas o áselo al horno en una bolsa para asar; antes de consumirlo deberá quitarle la piel. Cortado en trozos, puede utilizarlo para freír, asar a la parrilla o para la bullabesa.

Escorpión
Ing.: weever; fran.: grande vive; ital.: trachino dragone, vipera di mare; al.: Petermännchen.

El nombre de escorpión lo debe este pez de 30 a 40 cm, magro, de cabeza pequeña y boca grande, a sus aletas erizadas y a sus opérculos con púas en los que tiene glándulas venenosas. En el momento de morir puede causar con ellas heridas muy dolorosas a los pescadores. El hábitat principal es la costa atlántica de África Occidental hasta Bergen y el Mediterráneo. El enano tiene una longitud de 10 a 20 cm.

Formas de preparación: su carne se utiliza principalmente para la bullabesa y otras sopas de pescado. En pieza, el escorpión se fríe en mantequilla una vez pasado por harina (a la molinera), escabechado con zumo de limón, aceite y estragón, o escalfado en vino de Jerez; frito y enfriado puede disponerse sobre ensalada. Se condimenta con estragón, perejil, pimienta blanca, salvia y limón.

Guarniciones: mantequilla derretida dorada, huevos duros picados, salsa de alcaparras, juliana de apio y zanahorias, mantequilla de hierbas, pepinillos en vinagre, escalonias.

Pez de San Pedro
Foto página 126

Ing.: John Dory; fran.: St. Pierre; ital.: pesce San Pietro; al.: Petersfisch.

Un pescado muy solicitado que no se encuentra con demasiada frecuencia en el mercado. El pez oval con cabeza y boca grande tiene en su parte trasera aletas radiales en forma de púas. Habita en el Atlántico y en el Mediterráneo. Pertenece a los peces magros y alcanza un tamaño de hasta 50 cm.

Formas de preparación: todas las especificadas para el rodaballo. Al pez de San Pedro no hace falta quitarle las escamas.

Raya
En los mares de la tierra habitan más de 40 variedades de rayas. Para la pesca sólo cuentan la raya de clavos y noriega. De los grandes cuerpos sólo se utilizan las aletas pectorales magras en forma de alas. A esta carne, muy sabrosa, se le quita la piel y se vende en trozos fresca o ahumada.

Raya de clavos
Ing.: thornback ray; fran.: raie bouclés; ital.: razza chiodata; al.: Nagelrochen.

Debe su nombre a las espinas o púas que cubren la parte superior de la piel.

Formas de preparación: el pescado puede escalfarse en agua salada o marinarse cortado en tiras con zumo de limón, aceite, cebollas y hierbas, después puede pasarse por pasta para freír y freírse; también puede asarse al horno con verduras en una bolsa para asar. Los condimentos adecuados son la albahaca, la artemisa, la pimienta de Cayena, las alcaparras, el laurel, el raiforte, el perejil, la pimienta y el limón.

Guarniciones: mantequilla derretida dorada, tiras de pimientos, tomates asados.

Noriega
Ing.: skate; fran.: pochetau blanc; ital.: razza; al.: Glattrochen.

Habita en el mar del Norte y en el Atlántico hasta Islandia y llega a tener un tamaño de 2 a 2,50 m.

Formas de preparación: todas las especificadas para la raya clarata o espinosa.

Salmonete de roca
Foto página 126

Ing.: red mullet; fran.: rouget, rouget barbet; ital.: triglia, triglia minore; al.: Rotbarbe.

Representante principal de los múlidos; existe, además, el salmonete de fango y el marino gris. La carne del salmonete sin vesícula biliar es de calidad muy fina y magra. Alcanza un tamaño de unos 30 cm, tiene escamas grandes y en la mandíbula inferior dos barbillas, y habita principalmente en el Mediterráneo. Una variedad, de unos 40 cm de largo, habita en las costas de Madeira y en la costa atlántica africana. Otra variedad, de color grisáceo, y de 30 a 50 cm, habita en el Mediterráneo, el Atlántico y el mar del Norte.

Formas de preparación: los salmonetes pueden escalfarse enteros (preferentemente descamados) en un fondo de pescado con juliana de verduras, en un fondo de pescado y vino, o en vino blanco; también pueden freírse una vez enharinados, a la molinera. Asimismo, pueden filetearse y freírse en mantequilla o cocerse al vapor.

Guarniciones: mantequilla derretida dorada, champiñones, gambas, queso rallado, mantequilla de hierbas, aceitunas negras, mantequilla de anchoas, pan rallado dorado en mantequilla, dados de tocino fritos, tomates asados, aros de cebolla fritos, mantequilla blanca (página 118), salsa al curry, salsa chantilly, salsa crema al vino blanco.

Pez espada o emperador
Ing.: swordfish; fran.: espadon, empereur; ital.: pesce spada; al.: Schwertfisch.

Debe su nombre a las mandíbulas alargadas y huesudas en forma de espada. Por término medio el pez espada alcanza los 4 m de longitud y puede pesar hasta 200 kg. Puede encontrarse en casi todos los mares de mundo. En la alta cocina se aprecia especialmente la carne del pescado joven y graso.

Formas de preparación: el pez espada se ofrece generalmente en rodajas o filetes (las rodajas

Dentones

Gallineta

Guía de pescados, mariscos y moluscos

tendrá que descamarlas), que se escalfan en vino tinto o fondo de pescado, o se fríen enharinadas. Para los filetes puede emplear cualquiera de las formas especificadas para filetes de lenguado; para las rodajas sirven todas las recetas indicadas para la merluza.

Rape

Ing.: frog-fish, angler, sea devil; fran.: baudroie, lotte de mer; ital.: rospo di mare; al.: Seeteufel.
Con sus aletas pectorales en forma de brazos y su gran cabeza de boca ancha y dentada, da la impresión de un monstruo. El rape no tiene escamas; tiene, en cambio, muchos núdulos duros como huesos en la parte superior de la piel. Alcanza un tamaño aproximado de 1 m y vive en el fondo de todos los mares europeos. Su carne es consistente, sabrosa y magra.
Formas de preparación: el rape es un ingrediente muy apreciado para la bullabesa y otras sopas de pescado. Se fríe en filetes o cortado en rodajas y pasado por harina o pan rallado. Todos los condimentos y guarniciones que se recomiendan para la merluza van también bien para el rape.

Perro del norte

Ing.: catfish, sea-wolf; fran.: loup marin, poisson loup; ital.: pesce lupo; al.: Gestreifter Seewolf.
Tiene unas estrías oscuras punteadas en su cuerpo y puede medir 1 m. Estrechamente emparentado con él está el *perro del norte moteado,* cuyo lomo está cubierto de manchas o motas oscuras. La carne de este pescado es clara, magra y sabrosa.
Formas de preparación: todas las especificadas para el bacalao fresco o la merluza.

Peces de agua dulce y migratorios

Lota de río

Ing.: eel-pout, burbot; fran.: lotte de rivière; ital.: lotta; al.: Aalquappe.
Las lotas alcanzan un tamaño de 30 a 60 cm. Prefieren las aguas frías y claras de Europa, Asia y América. Su carne es clara, consistente, grasa y sabrosa, y tiene muy pocas espinas.
Formas de preparación: como la lota no tiene escamas, pero sí una piel mucosa como las carpas, se puede preparar, como éstas, en «au bleu». Para otro tipo de cocción debe quitarse antes la piel. Los filetes o rodajas deben prepararse como el rodaballo o la anguila.

Umbra

Ing.: grayling; fran.: ombreécailles, ombre-commun; ital.: temolo; al.: Asche.
Tiene forma alargada y ovalada, con una aleta dorsal ancha con listas oscuras, y alcanza un tamaño de 30 a 40 cm. La umbra es magra y habita en ríos y arroyos de la Europa central y oriental, así como en zonas de América del Norte. Su carne se parece a la de la trucha.
Formas de preparación: todas las descritas para las truchas. Antes de cocinarla deberá descamarla. Existen, sin embargo, algunas recetas especiales para la umbra. Así, se prepara al enebro escalfada en vino tinto con apio y perejil rehogados y se sirve luego con el fondo de cocción reducido y champiñones fritos. Al estilo de Lausana se escalfa en vino blan-

co con champiñones picados y escalonias y se sirve con el fondo de cocción reducido, ligado con mantequilla batida y condimentado con zumo de limón. A la provenzal se pone en filetes pasados por harina y fritos en aceite de oliva. Puede espolvorearse con ajo picado y frito y tomates asados.

Barbo

Ing.: barbel; fran.: barbeau, barbillón; ital.: barbio; al.: Barbe.
Pez largo y esbelto con 4 barbillas que pertenece a la familia de las carpas. El lomo tiene generalmente un color azul grisáceo, y los opérculos tienen un brillo dorado. Algunos barbos tienen en todo su cuerpo un reflejo rojizo que les valen el nombre de *barbos dorados.* Alcanzan un tamaño de 30 a 40 cm y habitan en ríos de corriente rápida con aguas claras. Durante la época de freza, de mayo a junio, van en bandadas río arriba; en esta época sus huevas suelen ser difíciles de digerir y producen náuseas, pero la carne tiene un gusto muy fino y es magra, aunque tiene muchas espinas.
Formas de preparación: como la trucha «au bleu», escalfado en fondo de pescado y vino, entero, descamado, enharinado o pasado por una pasta para freír. Los filetes pueden gratinarse cubiertos con salsa crema, queso parmesano y copitos de mantequilla. Los condimentos adecuados son el estragón, las alcaparras, el hinojo, el ajo, un manojo de hierbas, la mostaza de Dijon y el limón.

Guarniciones: mantequilla de hierbas, aceitunas negras, tomates asados; salsa de raiforte, salsa de mejillones, salsa crema al vino.

Perca

Ing.: perch; fran.: perche; ital.: pesce persico; al.: Barsch.
Pez oval de aspecto grueso con escamas fuertes en el cuello y tiras transversales oscuras. Las percas alcanzan un tamaño de hasta 60 cm y pesan unos 2 kg. Habitan en arroyos, ríos y lagos, así como en aguas salobres en toda Europa del Norte, norte de Asia y América del Norte. Su carne es delicada, magra, con un gusto característico muy agradable.
Formas de preparación: a la perca hay que quitarle las escamas Los pescados pequeños pueden prepararse según las recetas indicadas para la trucha, o freírse envueltos en una pasta para freír. Los pescados grandes pueden asarse en bolsas de asar, con hierbas y un poco de vino blanco.
Guarniciones: champiñones, huevos duros picados con perejil y mantequilla derretida dorada, guisantes, gambas, mantequilla de anchoas, puntas de espárragos, salsa holandesa (página 118).

Brema

Ing.: bream; fran.: brème; ital.: sarago, abramide comune; al.: Blei.
Pez muy bello con muchas escamas, de la familia de las carpas, y con la forma típica de éstas, La brema alcanza un tamaño de unos 50 cm, pesa unos 3 kg y

Trucha arco iris

Trucha de río

Trucha marisca

Pescados de agua dulce y migratorios

habita en todas las aguas interiores europeas al norte de los Alpes. Desgraciadamente tiene muchas espinas, su carne tiene un gusto muy fino, pero es más bien grasa.

Formas de preparación: todas las especificadas para la carpa. Hay que descamarla. Los condimentos adecuados son la artemisa, el eneldo, el comino, el raiforte, la pimienta negra, la pimpinela, la salvia y el limón.

Guarniciones: champiñones, guisantes frescos, pepinillos en vinagre, juliana de apio, puerros, zanahorias, escalonias, crema de leche agria, cebollas, salsa crema.

Lavareto

Ing.: white fish; fran.: féra; ital.: coregone, lavaretto; al.: Felchen.

Pez magro de agua dulce de color azulado o verdoso y de 30 a 50 cm de longitud. Los lavaretos prefieren los lagos ricos en oxígeno de los Alpes, las estribaciones de éstos y los lagos del norte de Europa. Los más famosos son los del lago de Constanza.

Formas de preparación: todas las especificadas para la trucha. Para algunas recetas deberá descamarlos.

Anguila
(Foto pág. 130)

Ing.: eel; fran.: anguille; ital.: anguilla; al.: Flußaal.

Existen anguilas de cabeza en punta y de cabeza ancha. El pez joven de sólo 3 cm emigra de las profundidades del mar a las costas. Teniendo el grosor y la forma alargada de un lápiz, se traslada río arriba. En los ríos transcurre su vida y alcanza un tamaño de 1 m. Al cabo de 5 ó 6 años las anguilas púberes retornan al mar para la freza. La anguila es un pez graso y uno de los pescados ahumados más nobles. La carne más sabrosa es la de las angulas, que pesan alrededor de 1 kg.

Formas de preparación: para la anguila «au bleu» el pescado se cocina con la piel. Para las demás recetas se despelleja. Para quitar la piel, haga una incisión alrededor de la cabeza, pase por ella una cuerda y cuelgue la anguila en el picaporte de una puerta. Desprenda la piel un poco con un cuchillo, sujétela con un paño y tire de ella hacia abajo. Lo mejor es que la compre ya sin piel, luego ya puede freírla, cocerla al vapor en cerveza o sidra, asarla a la parrilla o freírla pasada por harina o pasta para freír. Los condimentos indicados son la pimienta de Cayena, el coñac, el estragón, las alcaparras, el perifollo, el ajo, el laurel, el raiforte, la nuez moscada, el perejil, la pimienta blanca, la pimpinela, el oporto, la salvia, la acedera, la mostaza, el jerez, el limón.

Guarniciones: ostras, ciruelas secas remojadas en vino blanco, champiñones, mantequilla de hierbas, pimientos cortados en dados, mantequilla de anchoas, escalonias, puntas de espárragos, dados de tocino frito, dados de tomates, cebollas, salsa de hierbas, salsa crema al vino (página 118), salsa de tomate.

Truchas

Todas las truchas —divididas en variedades de acuerdo con su hábitat— pertenecen a la familia de los salmónidos.

Trucha de río
(Foto pág. 128)

Ing.: brook trout, river trout; fran.: truite de ruisseau, truite de rivière; ital.: truta di fiume o di torrente; al.: Bachforelle.

Uno de los peces de agua dulce más sabrosos; adopta un color diferente según su zona de hábitat y prefiere las aguas poco profundas con corriente. La trucha es magra, tiene un tamaño de 25 a 40 cm y ahumada es una exquisitez.

Trucha marisca (asalmonada)
(Foto pág. 128)

Ing.: sea trout, brown trout; fran.: truite saumonée; ital.: trota salmonata; al.: Lachsforelle.

Un pez migratorio graso especialmente sabroso, que habita principalmente en el Atlántico Norte y el Ártico, así como en el mar del Norte y mar Báltico, y que emigra a los ríos para la freza. La trucha marisca o asalmonada alcanza un tamaño de 80 cm a 1 m y un peso de 1 a 5 kg.

Trucha arco iris
(Foto pág. 128)

Ing.: rainbow trout; fran.: truite arc-en-ciel; ital.: trota arcobaleno; al.: Regenbogenforelle.

Se parece a la trucha de río y habita en las mismas aguas. A lo largo de sus ijadas tiene tiras de color arco iris. Mide de 25 a 50 cm y es magra; ahumada es exquisita.

Trucha de lago

Ing.: lake trout; fran.: truite lacustre; ital.: trota di lago; al.: Seeforelle.

Se parece a la trucha marisca, pero es un pez de agua dulce puro y más magro. Por término medio alcanza los 80 cm.

Formas de preparación: las truchas se preparan «au bleu» enharinadas y fritas a la molinera o fritas y espolvoreadas con laminitas de almendras. Si no la cocina «au bleu», debe descamarla. Las truchas pueden asarse también envueltas en papel aluminio al horno, o sobre la parrilla de carbón vegetal, también pueden colocarse en una fuente refractaria cubierta con verduras y rociarse con vino, o un fondo de pescado y vino, así como envueltas en una bolsa de asar. La trucha de lago y la trucha marisca saben muy bien si se preparan como el salmón. Los condimentos indicados son el eneldo, las alcaparras, una mezcla de hierbas frescas, perejil, pimienta blanca, romero, vermut (en pequeñas cantidades) y limón.

Guarniciones: ostras, mantequilla derretida, champiñones, judías verdes, mantequilla de hierbas, bastoncitos de zanahoria, colmenillas, almejas, pimientos, escalonias, puntas de espárragos, tomates en dados, cebollas doradas, puré de cebollas, salsa de raiforte, salsa holandesa, salsa de anchoas, salsa crema al vino.

Gobio

Ing.: gudgeon; fran.: goujon; ital.: chiozzo; al.: Gründling.

Pez alargado y esbelto de sólo 10 a 15 cm, que habita en arroyos, lagos y ríos de Europa —con excepción de Italia del Sur y Escocia—. Su carne clara y magra es

Salmón

delicada y sabrosa, pero tiene muchas espinas.

Formas de preparación: al gobio hay que quitarle las escamas y las tripas; luego puede empanarse con pan rallado o crakers machacados y freírse en mantequilla 4 minutos por lado, o freírse una vez enharinado y pasado por una pasta para freír.

Lucio (Foto pág. 131)
Ing.: pike; fran.: brochet; ital.: luccio; al.: Hecht.

Pez magro, alargado, con el cuerpo redondo y la boca de pico de pato. Habita en lagos europeos y norteamericanos y en aguas de corriente tranquila, en las proximidades de las orillas. Alcanza un tamaño de 40 cm a 1 m y un peso de 2 a 3 kg. Excepcionalmente se pescan también lucios de 10 kg, pero se prefieren los lucios medianos y jóvenes —los llamados lucios de hierba—; los pescados más viejos y de mayor tamaño son apropiados para rellenos y albóndigas.

Formas de preparación: al lucio hay que «afeitarlo»; como sus escamas están muy agarradas, tienen que cortarse con un cuchillo muy afilado a contrapelo. No se utilizan las huevas. El hígado da a los rellenos un gusto muy agradable. El lucio se asa mechado y entero al horno —relleno o sin rellenar—, envuelto en una bolsa para asar una vez condimentado y rociado con un poco de vino. Puede escalfarse en un fondo de pescado bien condimentado, en cerveza con rodajas de limón,

clavo, laurel, granos de pimienta y trozos de cebolla o en vino tinto. Las rodajas de lucio pueden freírse enharinadas, cocerse al vapor, asarse a la parrilla en papel de aluminio o pasarse por una pasta para freír y freírse. Los condimentos indicados son la pimienta de Cayena, el eneldo, las alcaparras, el perifollo, el ajo, el laurel, el nabo picante, el perejil, los granos de mostaza, la pimpinela, el azafrán, la salvia, la acedera, el tomillo, el limón.

Guarniciones: rodajitas de manzana, ostras, mantequilla derretida dorada, champiñones, avellanas picadas, apio en dados, mantequilla de hierbas, bastoncitos de zanahorias, almejas, pimientos, mantequilla de anchoas, puré de acederas, crema de leche agria, escalonias, tomates en dados, cebollitas glaseadas, aros de cebolla fritos; mantequilla blanca (página 118), salsa holandesa, salsa de alcaparras, salsa de vino blanco.

Salmón del Danubio
Ing.: huch, hucho; fran.: huch; ital.: huco, salmone del Danubio; al.: Huchen.

Pez esbelto de hasta 1,50 m de largo y 20 kg de peso, de la familia de los salmónidos, que sólo tiene importancia regional, ya que vive casi exclusivamente en el Danubio y en sus afluentes procedentes de los Alpes. Su carne es clara, grasa y extraordinariamente sabrosa.

Formas de preparación: todas las especificadas para el salmón. Hay que descamarlo.

Carpa
Ing.: carp; fran.: carpe; ital.: carpa; al.: Karpfen.

La carpa habita en estado salvaje, en aguas de corriente lenta o estancadas con mucho lodo. Antes de cocinarla debe asegurarse de que antes de haber sido sacrificada ha estado durante 24 horas en agua corriente fría. Sólo de este modo se consigue que desaparezca el sabor a musgo y lodo. La carpa habita en Asia Oriental y Central, en el mar Negro y en toda Europa, a excepción del norte. En la actualidad ya se crían carpas en aguas limpias en piscifactorías. La carpa alcanza un tamaño de hasta 1 m y puede legar a pesar hasta 20 kg. Sin embargo, la que tiene mejor sabor es la de 2 años y de 1 a 2 kg. En los meses de invierno es cuando almacena más grasa y gana con ello en buen sabor. Se considera una exquisitez especial el testículo, que se sirve frito, como entrada, o se utiliza para elaborar salsas finas.

De la carpa, el pez graso más conocido, existen por crianza tres especies diferentes.

Carpa común
Ing.: common carp; fran.: carpe commune; ital.: carpa commune; al.: Schuppenkarpfen.

Constituye la forma primitiva de la carpa y está totalmente cubierta de escamas.

Carpa espejo
Ing.: mirror carp, king carp; fran.: carpe à miroir; ital.: carpa specchio; al.: Spiegelkarpfen.

Tiene muy pocas escamas de gran tamaño.

Carpa coriácea
Ing.: leather carp; fran.: carpe coriacée; ital.: carpa cuoio; al.: Lederkarpfen.

Carece casi de escamas.

Formas de preparación: la carpa se prepara casi siempre entera y en «au bleu» (sólo en este caso no se descama), rehogada o asada en una bolsa para asar. Las rodajas y filetes pueden rehogarse, cocerse al vapor, freírse en sartén o pasarse por pasta para freír y freírse en freidora. Una variante famosa es a la polca, con cerveza y un poco de vino tinto (receta página 80).

Guarniciones: corazones de alcachofas, mantequilla derretida dorada, champiñones, almendras picadas, crema de leche mezclada con raiforte, rodajas de zanahorias, pasas, filetes de anchoa en aceite, crema de leche agria, escalonias, tomates y cebollas.

Salmón (Foto pág. 129)
Ing.: salmon; fran.: saumon; ital.: salmone; al.: Lachs.

El salmón es un pez migratorio cuya vida empieza en arroyos y ríos fríos y claros. A la edad de 3 años emigra hacia el mar. Unos 4 años después regresa, ya maduro sexualmente para la freza, a los ríos. Está extendido por todo el mundo, pero prefiere las zonas más frías. Los salmones europeos alcanzan un tamaño de 60 cm y rara vez hasta 1,50 m; su peso medio es de 6 a 8 kg, pero algunas veces llega a alcan-

Carpa

Anguila

Pescados de agua dulce y migratorios

zar hasta 25 kg. La carne es rosa suave hasta color naranja, de consistencia delicada y de gusto exquisito. El salmón es uno de los pescados grasos más apreciados, se ofrece también ahumado.
Formas de preparación: al salmón hay que quitarle las escamas. Como especialidad escandinava, el salmón se marina en crudo. El salmón troceado puede cocerse al vapor con ingredientes suaves o escalfarse con un fondo de pescado y vino. Los filetes y rodajas pueden freírse, asarse a la parrilla, pasarse por pasta para freír y freírse en freidora también pueden rehogarse con champiñones. Las mitades de salmón escalfadas se recubren para las grandes solemnidades con gelatina y se sirven frías con ensalada de verduras finas y mayonesa de hierbas. Los condimentos indicados son el curry, el eneldo, el estragón, el perifollo, el ajo, la curcuma, el pimentón, el perejil, la pimienta blanca, el limón.
Guarniciones: ostras escalfadas, espinacas frescas, mantequilla derretida, champiñones, albóndigas de pescado, gambas, bolitas de pepino, caviar, mantequilla de hierbas, mantequilla de berros, crema de leche con raiforte, almejas o mejillones rebozados y fritos, rodajitas de aceitunas, juliana de pimientos pelados, mantequilla de anchoas, puntas de espárragos trigueros, tomates; salsa al curry, salsa holandesa, salsa madeira y salsa crema al vino.

Corégano
(Foto pág. 131)
Ing.: whitefish; fran.: lavaret; ital.: lavareto; al.: Renke.
Pez de la familia de los salmóni-

dos, que, como el lavareto, tiene sólo valor regional; habita principalmente en los lagos alpinos bávaros, austriacos y suizos, así como en lagos franceses muy profundos.
Formas de preparación: todas las especificadas para las truchas.

Trucha alpina («omble chevalier»)
Ing.: char; fran.: omble chevalier; ital.: salmerino alpino; al.: Saibling.
Pez parecido a la trucha, de 25 a 40 cm de longitud y rara vez hasta 80 cm, con un peso de hasta 10 kg. La trucha alpina prefiere los lagos fríos y ricos en oxígeno, sobre todo los del norte de los Alpes, del norte de Europa, de Alaska y de algunas zonas del nordeste de los Estados Unidos. Su carne es delicada, algo grasa, pero muy sabrosa.
Formas de preparación: todas las especificadas para la trucha. Si no la prepara «au bleu», deberá descamarla. A la vinatera: rellene la trucha con una farsa de pescado trufada (pescadilla) y escálfelo en vino del Rin y mantequilla. Deje reducir el fondo de cocción y mézclelo con crema de leche, yema de huevo y condiméntelo con mantequilla de cangrejos.

Tenca
Ing.: tench; fran.: tanche; ital.: tinca; al.: Schleie.
Pez parecido a la carpa, con muchas escamas pequeñas recubiertas por una capa mucosa. La tenca habita principalmente en Centroeuropa, en aguas de corriente suave y de mucha vegetación. Pertenece a los peces semigrasos, alcanza un tamaño de 20 a 30 cm, alguna vez hasta 50 cm y un peso aproximado de 2 kg.

Formas de preparación: todas las especificadas para las carpas; sólo cuando se prepara en «au bleu» no se descama. Los filetes y las rodajas despellejados pueden cocinarse con las recetas propuestas para la trucha.

Esterleto
Ing.: sterlet; fran.: sterlet; ital.: sterleto; al.: Sterlet.
Pez alargado y esbelto con cabeza en punta, engrosamientos de la piel petrificados y una serie regular de corazas. El esterleto es el más pequeño de la familia de los esturiones y alcanza un tamaño de hasta 60 cm y un peso de 10 kg. Rara vez aparece en los mercados europeos, pues su hábitat está principalmente en el mar Caspio, el mar Negro o en los ríos que desembocan en él, así como en los ríos del norte de Rusia y Siberia. En el Danubio puede encontrarse aproximadamente hasta la altura de Linz; en el Volga y en Hungría se cría en piscifactorías. Este pez no tiene escamas y su carne es delicada y sabrosa.
Formas de preparación: todas las especificadas para el esturión.

Eperlano
Ing.: smelt; fran.: esperlan; ital.: esperlano; al.: Stint.
Pez semigraso, esbelto, azul plateado, perteneciente a la familia de los salmónidos, que, sin embargo, sólo alcanza unos 26 a 30 cm y no pesa más que unos 100 g. Habita en las zonas costeras del mar del Norte y el mar Báltico, en ensenadas y desembocaduras de ríos. El eperlano de aguas interiores habita en los lagos del norte de Europa.
Formas de preparación: todas las especificadas para los filetes de

lenguado y rodajas de salmón. Al eperlano hay que quitarle las escamas.

Esturión
Ing.: sturgeon; fran.: esturgeon; ital.: storione; al.: Stör.
Pez migratorio que habita en las desembocaduras de los grandes ríos europeos, en las costas del Pacífico, así como en los mares Caspio y Negro. Lo más apreciado son sus huevas, de las que se obtiene el caviar. Por eso, el esturión se captura principalmente cuando nada río arriba hacia sus lugares de freza.
Alcanza un tamaño de unos 3 m y suministra carne grasa, pero muy sabrosa y delicada.
Formas de preparación: el esturión, una vez descamado, se corta en trozos, rodajas y filetes. De los trozos grandes se eliminan siempre los cartílagos de la espalda. Las rodajas y los trozos pueden escalfarse en un fondo de pescado y vino blanco, cocerse al vapor sobre verduras o asarse al horno en una bolsa para asar. Las rodajas y los filetes pueden freírse o asarse a la parrilla pasados por harina o freírse en freidora pasados por una pasta para freír. Según una receta rusa, el esturión se escalfa en un fondo concentrado de vinagre de vino, enriquecido con hierbas y especias, y al cabo de 2 días de reposar en el caldo se sirve frío. Los condimentos indicados son el estragón, el hinojo, el jengibre, las alcaparras, el ajo, la mejorana, la cáscara de naranja, el perejil, los granos de pimienta, el limón.
Guarniciones: crêpes de trigo sarraceno, champiñones, hinojo, queso parmesano rallado, filetes de anchoa en aceite, níscalos, tomates, cebollas, salsa maltesa.

Corégano

Lucio

Guía de pescados, mariscos y moluscos

Siluro

Ing.: silure-sheat-fish; fran.: silure, glane; ital.: siluro; al.: Wels.

El mayor pez de agua dulce de Centroeuropa, tiene una longitud de 1 a 3 m. El siluro carece de escamas; puede llegar a pesar hasta 200 kg y alcanzar los 80 años de edad. Habita en lagos grandes y ríos de Europa central y oriental y aisladamente en Asia occidental. Los siluros jóvenes suministran carne blanca, sin espinas, sabrosa, pero grasa; la carne de los pescados viejos es con frecuencia dura y correosa.

Formas de preparación: puede escalfar los trozos grandes y las rodajas en un fondo de pescado y vino. Freír las rodajas y filetes previamente enharinados, asarlos a la parrilla o freírlos en freidora una vez pasados por pasta para freír.

Lucioperca

Ing.: pike-perch; fran.: sandre; ital.: luccioperca, sandra; al.: Zander.

Pertenece a la familia de las percas, tiene las típicas aletas dorsales radiales y habita en ríos, lagos y ensenadas europeos, así como en las zonas pobres en sal del mar Báltico. Se cría también en piscifactorías; los más apreciados son los luciopercas de las piscifactorías del lago Balatón, en Hungría. Alcanza un tamaño de 1 m a 1,30 m y pesa unos 15 kg. Proporciona una carne magra, delicada y muy sabrosa.

Formas de preparación: este pescado ha de descamarse. El pescado entero o en trozos se escalfa en un fondo de pescado, se cuece al vapor sobre verduras, se asa al horno con un poco de vino blanco y verduras dentro de una bolsa para asar. Las rodajas y filetes pueden escalfarse en un fondo de pescado y vino blanco, cocerse al vapor, rehogarse, freírse pasados por harina o pan rallado, asarse a la parrilla o freírse en freidora una vez pasados por una pasta para freír. Los filetes escalfados pueden gratinarse también con una salsa crema y cubrirse con pan rallado y copitos de mantequilla. Con los filetes puede preparar también albóndigas muy finas y mousses. Los condimentos indicados son el ajo, el laurel, el raiforte, el pimentón, el perejil, los granos de pimienta, la salvia y el limón.

Guarniciones: corazones de alcachofas, ostras escalfadas, mantequilla derretida dorada, champiñones, huevos duros cortados en dados, hinojo, albóndigas de pescado, apio, zanahorias, almejas o mejillones, queso parmesano rallado, filetes de anchoa en aceite, mantequilla de mostaza, puntas de espárragos, zanahorias, cebollas, tomates asados, salsa crema.

Crustáceos

Gambas, cigalas, langostas, cangrejos de mar, camarones y langostinos, son muy importantes para la alimentación.

Quisquilla
(Foto abajo)

Ing.: shrimp; fran.: crevette grises; ital.: gamberetti; al.: Gamelen.

Las quisquillas son animales marinos que, según su zona de hábitat, pueden alcanzar tamaños de hasta 9 cm. Se ofrecen en el mercado, además de frescas, saladas, congeladas y envasadas en frascos de cristal.

Formas de preparación: las quisquillas frescas y hervidas se pelan y, si lo desea, puede quitarles el cordón intestinal. Lávelas siempre antes de prepararlas bajo el chorro del agua fría. Puede utilizarlas una vez frías y peladas en ensaladas, cócteles o canapés finos, o en platos calientes. Las quisquillas congeladas deben sacarse de su envoltorio y dejarse descongelar lentamente en el frigorífico en un recipiente tapado. En este libro encontrará muchas recetas con quisquillas.

Gambas

Ing.: prawns, king prawns; fran.: crevettes roses; ital.: gamberoni; al.: Riesengarnelen.

Gambas muy sabrosas que alcanzan un tamaño de 17 a 23 cm.

Formas de preparación: todas las especificadas para las cigalas.

Galera

Ing.: mantis shrimp; fran.: squile; ital.: canocchie, cicala di mare; al.: Heuschreckenkrebs.

Habita en el Mediterráneo y sólo se encuentra fresca cerca de la costa. Alcanza un tamaño de 25 cm. Se expende viva frecuentemente, y aunque tiene mucho sabor, tiene muy poca carne.

Formas de preparación: la galera se utiliza principalmente para aromatizar arroces y sopas y se cuece durante 8 minutos.Su carne delicada y aromática es muy fina.

Bogavante
(Foto pág. 133)

Ing.: lobster; fran.: homard; ital.: aragosta; al.: Hummer.

El bogavante habita en fondos marinos rocosos y en las proximidades de la costa. Es más sabroso cuando tiene un tamaño de 35 a 45 cm y un peso de 500 a 800 g.

El bogavante se vende vivo y congelado. Es muy importante tener en cuenta al comprar crustáceos vivos que deben moverse en el depósito de agua salada o mover las patas con fuerza si se mantienen en alto. Los animales que dan la impresión de estar dañados o a punto de morir no deberían ser consumidos, pues pueden ser perjudiciales para la salud o incluso venenosos. Las colas de los bogavantes, langostinos y cangrejos de río deberán estar muy pegadas a la tripa.

Formas de preparación: si no mata los crustáceos vivos inmediatamente después de la compra, no debe ponerlos en hielo vivos. Eso sería maltratar a un animal. Lo mejor es que los mate en seguida y, según la receta, los deje enfriar en su propio fondo de cocción. En algunos países está prohibido por la ley cortar los crustáceos en vivo. El bogavante o la langosta deben echarse en

Cangrejo de mar

Galera

Cangrejos de río

Cigalas

Mariscos

abundante agua hirviendo a borbotones con la cabeza por delante y sostenerse con una espumadera por lo menos 5 minutos bajo el agua. De acuerdo con las últimas investigaciones, con este procedimiento el animal tendrá 5 minutos de agonía. Desestime las recetas en que le aconsejen matar los crustáceos vivos en agua hirviendo solamente, pues se sabe que la agonía dura mucho más tiempo. Si quiere matar dos o más bogavantes, necesitará una olla de 15 l de capacidad por lo menos. Si no dispone de una, tendrá que matar a los animales por separado, uno tras otro. El tiempo de cocción para un bogavante de 500 g de peso será de 10 a 15 minutos. El bogavante congelado debe sacarse de su envoltorio y dejarse descongelar lentamente y tapado, en el frigorífico; si se descongela con excesiva rapidez, la carne puede quedar dura. El bogavante cocido se corta a lo largo todavía en caliente o frío. Le resultará fácil extraer la carne del bogavante partido. De la cabeza deberá extraer el hígado blando. Las huevas que pueda haber debajo de la cola se consideran una exquisitez. Para el bufet frío se corta la carne de las colas en rodajas y se sirve dentro del caparazón. Las pinzas se desprenden y se parten con unas tenazas de marisco (o con un machete de cocina). Después podrá extraer la carne de las patas en la mesa con un pincho de marisco.

Cigala
(Foto pág. 132)
Ing.: Dublin Bay Prawn; fran.: langoustine; ital.: scampi; al.: Kaisergranate.
La cigala alcanza un tamaño de 20 a 25 cm. Se encuentra fresca o congelada.
Formas de preparación: separe las colas cocidas de la cabeza, pélelas y utilícelas frías o caliéntelas un poco. Las cigalas pueden asarse enteras a la parrilla o freírse en sartén con abundante aceite. Las colas peladas puede utilizarlas igual que las gambas.

Cangrejos de mar
(Foto pág. 132)
Ing.: crab; fran.: crabe; ital.: granchio; al.: Krabben.
Los cangrejos de mar pertenecen a la familia de los cangrejos decápodos y alcanzan una anchura de 15 a 20 cm, llegando a pesar hasta 6 kg. Los cangrejos de mar, entre los que se encuentra el buey, la centolla y el moruno, habitan en zonas de rompientes marítimas desde el golfo de Vizcaya hasta Noruega, en el Mediterráneo, en la costa americana del Pacífico y en Alaska, así como en las Bahamas. Los cangrejos de mar están a la venta vivos o congelados, así como enlatados.
Formas de preparación: la carne del cangrejo de mar puede emplearla como la del cangrejo, el bogavante y la langosta.

Cangrejo de río
(Foto pág. 132)
Ing.: crayfish; fran.: écrevisse; ital.: gambero; Krebs.
Los cangrejos de río alcanzan un tamaño entre 8 y 15 cm y pesan 100 g como máximo. Se han hecho escasos en los ríos y arroyos de Europa, debido a las capturas intensivas. Si compra cangrejos vivos, deberá tomar las mismas precauciones que con los demás mariscos vivos. En el mercado existen cangrejos ya cocidos y congelados, así como también la carne enlatada.
Formas de preparación: para matar los cangrejos vivos debe seguir las mismas instrucciones que para el bogavante. La carne extraída del caparazón puede prepararse como la de las gambas o cigalas.

Langosta
(Foto abajo)
Ingl.: spiny lobster, rock lobster; fran.: langouste; ital.: aragosta; al.: Languste.
La langosta pertenece al grupo de los decápodos marchadores, pero no tiene tijeras, y sí, en cambio, antenas muy largas. Las langostas alcanzan un tamaño de 20 a 50 cm y un peso de 2 kg o más. Todo lo que se ha dicho sobre el bogavante es válido también para la langosta.

Conchas y moluscos

En sentido estricto, todas las conchas pertenecen a la clase de los moluscos, tanto si tienen una concha dura como las ostras, los mejillones y almejas o los caracoles, como si desarrollan púas para su protección, como el erizo de mar, o si se defienden sin ninguna clase de envoltura protectora, como la sepia. El grupo mayor de las conchas comestibles lo constituyen las almejas y mejillones. Al comprar almejas vivas debe fijarse en que tengan la concha totalmente cerrada. Como las almejas tienen agua de mar en sus conchas cerradas, pueden sobrevivir unos días fuera del mar. Los moluscos sin concha, como el calamar, la sepia o el pulpo, se ofrecen tanto frescos como congelados y listos para cocinar.

Calamar
Ing.: squid; fran.: calmar; ital.: calamare; al.: Kalmar.
El calamar es un cefalópodo de color violáceo. Habita en bancos en el Mediterráneo y en la costa oriental del Atlántico. Los calamares alcanzan un tamaño de 30 a 40 cm.
Formas de preparación: prepare el calamar como la sepia. El cuerpo en forma de saco puede rellenarse con una farsa hecha con los tentáculos, huevos y hierbas y luego freírse o guisarse. Los entendidos aprecian los tentáculos, que tienen una consistencia espe-

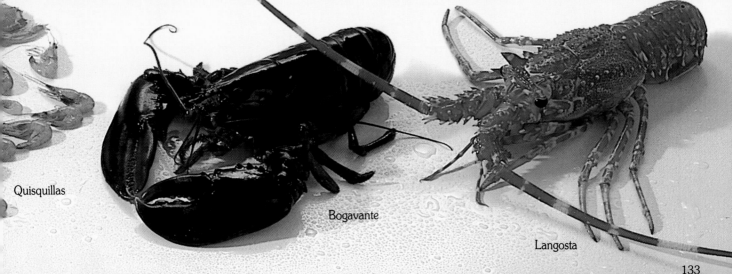

Quisquillas

Bogavante

Langosta

133

Guía de pescados, mariscos y moluscos

cialmente delicada. Puede trocearlos y freírlos en mantequilla con cebollas picadas, o guisarlos con vino blanco y filetes de anchoa picados.

Pulpo

Ing.: octopus, polyp; fran.: pieuvre, poulpe; ital.: folpi, polipo; al.: Meerpolyp.

El pulpo habita en el Atlántico y en el Mediterráneo. Unida al cuerpo redondo, en forma de saco, está situada su gran cabeza con largos tentáculos.

Formas de preparación: prepare el pulpo como la sepia y luego cocínelo como el calamar.

Sepia

Ing.: cuttlefish; fran.: seiche, sèche; ital.: seppia, seppiola; al.: Tintenfisch.

La sepia tiene un cuerpo plano y ovalado con una cabeza relativamente pequeña, dispone de ocho brazos y dos largos tentáculos. Las sepias alcanzan un peso de más de 1 kg.

Formas de preparación: la sepia, el pulpo y el calamar se preparan básicamente según el mismo principio. Se sujeta el cuerpo en forma de saco con un lienzo y se extrae la cabeza con los tentáculos y las tripas. Con la sepia hay que tener un cuidado especial de no romper la bolsa de la tinta; si saliese de ésta una mínima cantidad, tendría que lavar a fondo el resto de la carne. Además, en la sepia hay que extraer la pluma calcárea porosa que se encuentra debajo de la piel del lomo. Los

tentáculos se separan después de la cabeza por encima de los ojos. El pequeño cartílago que hay entre los tentáculos debe eliminarse y tirarse junto con las partes bajas de la cabeza y las tripas. Lave los sacos vacíos y los tentáculos a conciencia bajo el chorro del agua fría. Si lo desea, puede pelar también la piel fina del cuerpo y de los tentáculos (esto es aconsejable sobre todo con los animales más grandes). Continúe preparando la carne de acuerdo con las recetas. Prepare la sepia como el calamar.

Ostra
(Foto pág. 135)

Ing.: oyster; fran.: huître; ital.: ostrica; al.: Auster.

Las ostras que se encuentran en el mercado proceden en su mayor parte de bancos de ostras artificiales. Las ostras sólo se crían en agua marina muy salada. Distinguimos entre la otra *europea (plana)* y la *portuguesa*. La ostra europea habita y se cultiva en las costas atlánticas (también en el lado americano) y las costas del Mediterráneo. Sus conchas están ligeramente abombadas, tienen forma regular y la superficie está ligeramente estriada. La ostra europea recibe en el mercado el nombre de su origen. Así, tenemos en Bélgica la de Ostende; en Dinamarca, la Limfjords; en Inglaterra, la de Colchester, Whitestables; en Francia, la de Arcachon, Belons, Bouzigues y Marennes; en Holanda, la Impe-

rials; en Estados Unidos, la Blue points. La ostra portuguesa, llamada también ostra profunda o de roca, tiene forma irregular y una superficie rugosa. Se denominan de acuerdo con el método de crianza; es decir, ostras de parque y ostras finas, que proceden de los costosos criaderos o viveros. Se aprecia extraordinariamente su sabor ligeramente amargo. Todas las ostras se encuentran frescas y vivas en el mercado y están divididas en las siguienes clases de peso:

0	=	40 a 45 g
00	=	50 a 55 g
000	=	60 a 65 g
0000	=	70 a 75 g
00000	=	80 a 85 g
000000	=	95 a 100 g
0000000	=	101 a 120 g

Formas de preparación: los gourmets degustan las ostras crudas; para ello debe cepillarlas a conciencia bajo el chorro del agua fría y secarlas después con un lienzo. Las ostras se abren con el abridor de ostras, un cuchillo especial de hoja fuerte y roma, o con un cuchillo fuerte de cocina. Para proteger la mano se pone cada ostra con la cáscara abombada hacia abajo sobre un lienzo húmedo, doblado varias veces. Coloque el abridor de ostras en la parte puntiaguda de la ostra e introduzca el abridor de ostras con un empujón fuerte entre las valvas. Al hacerlo debe procurar no verter el resto de agua marina de la ostra abierta, pues contribuye a su gusto sabroso. Des-

pués desprenda el músculo de cierre a lo largo de los bordes de la concha. Si no dispone de una fuente especial con cavidades para ostras, puede poner en una fuente normal una capa de 1 cm de sal o hielo picado para que las ostras no se vuelquen. Coloque encima las mitades llenas. Las ostras frescas se sorben directamente de la concha. El músculo sujeto a la concha deberá separarlo con un tenedor para ostras o con la punta del dedo meñique. Algunos especialistas en ostras las rocían antes de comerlas con un poco de zumo de limón, menos para aromatizarla que para probar si la ostra vive todavía. Si la ostra está viva, se contrae ligeramente por el ácido del limón. Acompañe las ostras crudas con pan blanco tierno, un molinillo de pimienta y un vino blanco seco; por ejemplo, un Albariño o Penedés. Las ostras pueden servirse también cocinadas, por ejemplo escalfadas en su propio jugo, vueltas a colocar en sus conchas y servidas con una salsa crema de leche, también puede colocarlas, una vez escalfadas, en sus conchas engrasadas, esparcer pan rallado, queso parmesano, perejil picado y unos copitos de mantequilla encima y gratinarlas. A la inglesa, envueltas en una loncha fina de tocino, ensartadas en broquetas y asadas en parrilla eléctrica.

Mejillones

Escapiñas grabadas

Dátiles de mar

Moluscos

Berberecho
Ing.: cockle; fran.: coque; ital.: cuore edule; al.: Herzmuschel.
Todos los berberechos tienen conchas estriadas con tiras claras y oscuras. Se encuentran en el Mediterráneo y en las costas atlánticas, sobre todo en aguas sin declives, en las desembocaduras de los ríos. El berberecho normal alcanza un tamaño de 4 a 5 cm.

Tellina
Ing.: wedgeshell; fran.: olive; ital.: cuore tubereolato.
Llega a alcanzar 3,5 cm y es muy abundante en las costas mediterráneas.

Chirla
Ingl.: littleneok; fran.: poule; ital.: cappa gallina; al.: Venusmuschel.
Su concha tiene finas estrías y alcanza un tamaño de 3 a 4 cm.
Formas de preparación: estas conchas se comen generalmente crudas en las proximidades de la costa o se preparan al vapor, como los mejillones.

Vieira
(Foto abajo)
Ing.: scallop; fran.: coquille St. Jacques; ital.: conchiglia di San Giacomo, pellegrina; al.: Jakobsmuschel.

La vieira habita en el Atlántico, en el mar del Norte y en el Mediterráneo. Alcanza un tamaño de 8 a 15 cm y está rodeada de una concha semicircular de forma muy bonita, de color beige y a veces rojizo, que está regularmente estriada y acanalada. La vieira se encuentra fresca y también congelada.
Formas de preparación: las vieiras congeladas deben dejarse descongelar lentamente en el frigorífico. Lave las conchas, ábralas como las ostras, saque las vieiras y separe la carne blanca amarillenta, llamada nuez, de los músculos anaranjadas y de los restantes órganos grises. Escalde las partes claras y nobles de la vieira dentro de un tamiz de 2 a 3 minutos en agua hirviendo ligeramente, córtelas en rodajas y sígalas preparando de acuerdo con la receta. Después del escaldado puede empanar la carne y freírla o pasarla por una pasta para freír, freírla y calentarlas en una salsa fina; también puede gratinarse o envolverse en lonchas de tocino y ensartarse en broquetas para asarlas a la parrilla. Los condimentos indicados son la pimienta de Cayena, el curry, el eneldo, el mango-chutney, la pimienta blanca, el jerez seco, el limón.
Guarniciones: champiñones, gambas, queso rallado, almejas, tomates en dados y salsa crema al vino.

Mejillón
(Foto pág. 134)
Ing.: blue mussel; fran.: moule commune; ital.: mitilo, muscolo, cozza; al.: Miesmuschel.
El mejillón es de un color negro azulado, ovalado, acabando en punta, y llega a medir 5 ó 6 cm. Con las barbas o hebras que salen del interior de las conchas se sujeta a las rocas, palos y cuerdas. El mejillón prefiere zonas marinas con fuerte oleaje hasta 10 m de profundidad. Habita en todos los mares europeos y norteamericanos, pero la mayoría de los mejillones que se encuentran en el mercado proceden de criaderos. El dátil de mar (foto página 134) es una subespecie del mejillón.
Formas de preparación: en este libro encontrará recetas para mejillones. Se usan con frecuencia para enriquecer sopas de pescado y platos marineros. Los condimentos indicados son la pimienta de Cayena, el estragón, las hojas de hinojo, el perifollo, el ajo, el jerez, el tomillo, la salsa Worcester y el limón.
Guarniciones: champiñones gratinados, pimientos, arroz, escalonias, tocino entreverado, tallos de apio, tomates, cebollas y salsa crema.

Almeja fina (Foto abajo)
Ingl.: carpet shell; fran.: clovisse, palourde; ital.: vongola nera; al.: Teppichmuschel.

La almeja fina habita en el Atlántico, en el Mediterráneo y en el Canal de la Mancha. Alcanza un tamaño de hasta 8 cm y tiene la concha estriada, dibujada con 3 filas de manchas en forma radial.
Formas de preparación: todas las descritas para los mejillones. En las proximidades de la costa las almejas finas se comen crudas.

Almejón brillante (Foto abajo)
Ing.: smooth Venus; fran.: palourde, praire; ital.: cappa liscia; al.: Braune Venusmuschel.
Tiene la concha alargada, con tiras marrones de forma radial y llega a tener un tamaño de 5 a 7 cm y rara vez hasta 12 cm.

Escupina grabada (Foto pág.134)
Ing.: clam, Venus; fran.: coque rayée, praire; ital.: cappa verrucosa, tartufo di mare; al.: Raube Venusmuschel.
Alcanza de 3 a 6 cm y su concha tiene ondas irregulares.
Formas de preparación: todas las especificadas para los mejillones. En las proximidades de la costa se comen crudas.

Vieiras

Almejas finas

Ostras

Almejas brillantes

Índice del libro de la A a la Z

Los números en *cursiva* se refieren a las ilustraciones de la «Guía de pescados, mariscos y moluscos» (pág. 120 y ss).

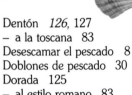

Índice del libro de la A a la Z

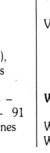

Los autores

Annette Wolter

Es una de las autoras de libros de cocina más prestigiosa del ámbito lingüístico alemán. Desde hace más de 20 años está dedicada a la cocina y el cuidado del hogar, habiéndose dedicado a ellos ya en calidad de colaboradora de revistas para la mujer. Hoy Annette Wolter es una experta reconocida en el campo de la cocina y la bodega, autora de numerosos bestseller en libros de cocina y premiada varias veces por la «Gastronomische Akademie Deutschlands» (Academia Gastronómica Alemana).

Las recetas de sus libros muestran claramente el éxito de la combinación entre los refinamientos culinarios y la sabrosa y sana cocina casera.

Uno de sus libros de mayor éxito es «Kochen heute» («Cocinar hoy») y los cuatro tomos de la serie Wie-noch-nie (Como nunca hasta ahora) «Kochvergnügen» (El placer de cocinar), «Backvergnügen» (El placer de la repostería), «Kalte Küche» (Cocina fría) y «Spezialitäten der Welt» (Especialidades del mundo).

Elke Alsen

Reunió una gran experiencia práctica como joven octrofóloga en las instituciones sociales más variadas y aprendió a alimentar a gente joven en condiciones no siempre favorables. Después, pasó a formar parte de la redacción de cocina y bodega de una gran editorial hamburguesa, a la que dió un gran impulso, dirigiendo la cocina experimental. Se trataba de encontrar recetas adecuadas para todos los temas imaginables, presentarlas ante la cámara muy fotogénicas y suministrar los textos a la redacción. Entretanto, la señora Alsen tiene marido e hijos, casa y jardín, perro y gato. Pero continuará siempre ejerciendo su profesión. Le gusta, por ejemplo, trabajar como estilista en estudios de «food-fotos» o revelar sus recetas favoritas en los libros de cocina ilustrados con fotos en color de la editorial Gräfe und Unzer.

Marey Kurz

Procede de una familia germano-báltica. Desde hace más de 20 años cocina para su marido y sus hijos, esforzándose por hacer las comidas de cada día lo más sabrosas posible. Sus propios problemas de salud incitaron a la señora Kurz a ocuparse cada vez más de las comidas de valor nutritivo completo. La adaptación consiguiente no sólo le trajo su propia salud, sino el reconocimiento entusiasta de toda la familia para la nueva forma de nutrición. Así, la Sra. Kurz escribió su primer libro «Vollwertküche-schnell und leicht» (Cocina de valor nutritivo completo, rápida y fácil) y —animada por el éxito— poco después «Soja in der Vollwertküche» (La soja en la cocina de valor nutritivo completo), así como «Vollwertkost, die Kindern schmeckt» (La cocina de valor nutritivo completo que gusta a los niños). Para este libro nos proporcionó naturalmente las recetas de valor nutritivo completo.

Annedore Meineke

Era originalmente profesora de economía doméstica, pero cambió muy pronto el aula escolar por la cocina experimental de una revista ilustrada alemana muy conocida, inventando para sus lectores recetas para toda clase de ocasiones, menús festivos, programas de régimen, alimentación para adelgazamiento. Entretanto, la Sra. Meineke se ha casado y se dedica a mimar sobre todo a su familia con sus conocimientos culinarios. Simultáneamente encuentra siempre algo de tiempo para escoger las recetas adecuadas de su gran repertorio para algunas revistas o —como en este caso— reunir sus mejores recetas de pescado para Gräfe und Unzer.

Brigitta Stuber

Es una muniquesa auténtica y quiso convertirse, sin rodeos, directamente del colegio en esposa y madre. Este salto de trampolín la obligó a aprender sola todo lo relacionado con la cocina y el cuidado del hogar. Sus artes culinarias, de invención propia, encontraron tal aceptación entre sus amistades, que todo el mundo le pedía las recetas. El redactor de una revista creó una columna expresamente para las recetas «stuberianas», lo que, naturalmente, animó a la autora a realizar otros trabajos periodísticos. Y, como quiere hacer siempre todo al cien por cien, hizo un curso de meritoria en una redacción, trabajando durante años para revistas especializadas. Desde hace 7 años Brigitta Stuber es lectora de la editorial Gräfe und Unzer. En este tomo dedicado al «pescado» ha colaborado también activamente.

Pete A. und Susi Eising

No sólo son fotógrafos y creadores de fotos, sino también gourmets, conocedores de todo lo bueno en el terreno culinario y, por añadidura, expertos cocineros. Pete A. Eising es súbdito americano y suizo y, al mismo tiempo, un muniqués auténtico. Con un año de edad llegó a la capital bávara, fue allí al colegio y aprendió su profesión junto con su mujer en la Escuela Especial de Fotografía de Munich. Trabajó durante algún tiempo con gran entusiasmo y dedicación en el estudio de fotografía alimentaria Teubner, con objeto de prepararse para el terreno que había elegido, mientras que la Sra. Susi se dedicaba al retrato. Desde hace seis años el matrimonio trabaja junto en un estudio fotográfico propio, prefiriendo el campo de la comida y la bebida. Naturalmente, tienen ayudantes en el laboratorio y la cocina, pero cuando la cosa se pone especialmente difícil, los fotógrafos abandonan su puesto tras la cámara y trabajan en la cocina con sus propias manos, esforzándose por lograr exactitud práctica y resultados seductores.

La foto en color de la cubierta nos muestra un dentón a la toscana (receta de la pág. 83).

Título original: *Fisch*

Traducción: *Carmen Pilar Schad Gumucio*

TERCERA EDICIÓN

© Gräfe und Unzer GmbH, München, y
EDITORIAL EVEREST, S. A.
Carretera León-La Coruña km 5 - LEÓN
ISBN: 84-241-2381-6
Depósito Legal: LE: 435-1994
Printed in Spain - Impreso en España

EDITORIAL EVERGRÁFICAS, S. L.
Carretera León-La Coruña km 5
LEÓN (ESPAÑA)